KB171683

밤하늘에 별을 새기고

밤하늘에 별을 새기고

발 행 | 2024년 8월 10일
저 자 | 온채원
펴낸이 | 한건희
펴낸곳 | 주식회사 부크크
출판사등록 | 2014.07.15(제2014-16호)
주 소 | 서울특별시 금천구 가산디지털1로 119 SK트윈타워 A동 305호
전 화 | 1670-8316
이메일 | info@bookk.co.kr

ISBN | 979-11-419-0037-3

www.bookk.co.kr

밤하늘에
별을
새기고

온채원 지음

CONTENT

프롤로그 * 5

전학생 * 8
이성 친구 * 21
여행 * 38
사랑, 그리고 우정 * 54
응급실 * 86
크리스마스 * 105
적신호 * 118
5년 후 * 134

작가의 말 * 148

프롤로그

-띵동댕동-

“와아아 집 간다”

오늘도 선생님께서 교실로 터벅터벅 들어오셨다.

“오늘 공지사항 없음. 반장, 인사”

“차렷, 공수, 인사”

“사랑합니다”

아이들이 우르르 가방을 들고 뛰쳐나간다.

나는 오늘도 교실에 혼자 남겨진다. 그리고 항상 그랬듯이 학교에서 따로 운영하는 도서관으로 향했다.

그런데 도서관에 평소에는 보지 못한 남자아이가 앉아 있었다.

“어? 넌 처음 보는 애인데…”

그 남자아이가 답했다.

“아 나 전학 왔어. 앞으로 친하게 지내자”

“아…그래…!”

순간 얼굴이 뜨거워졌다. 본지 1분 만에 호감이 생기는 만남은 처음이었다.

“근데 여기 도서관은 원래 사람이 한 명도 없니? 오늘 하루 종일 있었는데도 사람 거의 안 오더라”

“아 여기 학교 애들은 나 빼고 도서관 한 명도 안가. 도서관에 귀신 산다는 소문 때문인가 봐.”

“음…? 그런 걸 왜 믿어?

“그러게… 그래도 그 덕분에 책이 다 새거여서 좋아”

나는 혹시 그 남자애가 책을 많이 읽었는지, 그 아이

는 어떤 애인지 궁금해서 겸사겸사 책 한권을 내밀었다. 책을 돌려주기 위해서라도 나에게 한번은 찾아오지 않을까 하는 마음으로.

"이번에 나온 신간이야. 나 읽을 거니까 빨리 돌려줘야 해! 다 읽고 3반으로 와!"

"으응. 알았어. 금방 읽고 줄게."

학교를 2년을 다녔지만 이런 감정을 느껴본 것은 처음이다.

앞으로 이 아이와 마주칠 생각하니 설렌다.

제1장 전학생

1

“자 오늘은 전학생이 오는 날이에요. 모두 큰 박수로 맞이해주세요”

저벅저벅 발걸음 소리. 그리고 어디선가 익숙한 얼굴이 반에 들어왔다.

“안녕? 난 백승유야. 앞으로 잘 지내보자”

어제 도서관에서 봤던 그 아이다. 이름이 백승유구나. 나랑 승유는 순간 눈이 마주쳤다. 그리고 나에게 미소를 지어줬다.

“승유는 저기 빈자리 가서 앉으면 돼. 설아야, 전학생 잘 챙겨줘야 한다”

“아 넵”

“자 오늘 조회 끝났다. 각자 자습할 거 꺼내서 공부해”

여기저기서 한숨소리가 터져 나왔다. 나는 조용히 책을 꺼내 읽었다. 그때 승유가 어제 내가 준 책을 다시 내밀었다.

“너 설아라고 했지? 이거 책 다 읽었어. 생각보다 좋은 책이더라.”

“헐 너 하루만에 다 읽은 거야? 이거 꽤나 어려운 책인데…”

“내가 어렸을 때 책을 좀 많이 읽었어. 이 학교에 있는 큰 도서관이 내가 이 학교로 전학 온 이유 중 하나이기도 하지.

"오오 좀 멋진데? 너 나랑 친구하자"

내가 방금 무슨 말을 한거지? 내가 미쳤지. 어제 보긴 했지만 그래도 만난지 얼마 안 됐는데 바로 친구하자 하다니. 내가 생각해도 승유가 당황할 만했다.

"응…?"

"나 친구 없거든. 너랑 나랑 통하는 것도 있는 것 같고…. 책이라는 공통 관심사로 친구 맺는 거야!"

"그래! 근데...우리 커플은 아닌거 맞지?"

"아잇 백승유 무슨 상상을 하고 있는 거야. 당연히 아니지"

순간 승유의 얼굴에는 놀란 표정이 잠깐 스쳐갔다. 그 모습에 나도 모르게 웃음이 터져 나왔다.

이 아이와 가까워지고 싶다. 어쩌면 이 아이가 내 삶의 등불이 되어줄 수 있을 것 같아 기대가 된다.

***

나에게는 비밀 장소가 있다. 아무에게도 얘기하지 않

은 곳이지만 승유한테는 특별히 알려주기로 했다.

"그럼 우리 친구 된 기념으로 내가 비밀장소 하나 알려주지. 학교 끝나고 시간 되지?"

"응응!! 당연하지."

"그럼 학교 수업 끝나고 나 잠깐 따라와!"

"알았어."

두근두근. 왠지 모르게 긴장이 되었다. 나만 갖고 있던 비밀을 다른 사람에게 보여준다는 것이 이렇게까지 떨릴 일인가?

마지막 수업은 거의 딴짓만 하다가 끝났다. 머릿속이 복잡하기도 했고 무엇보다 과학이 너무 재미가 없었다.

"으아 드디어 수업 끝났다. 우리반 과학쌤 진짜 재미없지 않냐?"

"좀 재미없긴 하시다. 근데 내 전 학교에 비해서는 나름 괜찮았던 것 같아!"

"너 너무 긍정적인거 아니야? 도대체 전 학교는 어땠

길래… 갑자기 궁금해지네…. 쩝"

"암튼 그래서 너가 알려줄 그 비밀 장소인가 그 머시기가 어딘데?"

"너도 와본 장소야"

나는 승유를 끌고 도서관으로 갔다. 도서관에 도착하자 승유는 약간 실망스러우면서도 황당하다는 눈빛을 쏘아붙였다.

"뭐야. 그냥 도서관이었어?"

"여기는 그냥 도서관이 아니야."

나는 도서관 가장 안쪽에 있는 왼쪽에서 두번째 책장을 열었다. 그러자 신비로운 빛이 뿜어져 나오는 공간이 나타났다.

"여긴…어디...야…?"

"여긴 선한 사람들이 죽으면 하늘의 별로 새겨주는 곳이야."

"이거 영화 아니지?"

“여기 현실이야. 백승유 생각보다 귀엽네. 이런 질문을 다하고.”

“내가...? 내가 귀엽다고? 내 주위 사람들은 다 내가 까칠하고 조용하고 완전 차가운 남자라고 하던데?”

“여기 니 주위에 아니라고 하는 사람 한 명 생겼네 흐흫”

승유 놀리는 재미에 푹 빠졌다. 처음에는 완전 차도남인줄 알았는데 대화를 해볼수록 다른 매력들이 보였다. 나는 이런 반전 매력이 좋다. 승유와 함께 있으면 나도 모르게 웃게 된다.

우리는 계속 깔깔거리며 놀았다. 몇 분 뒤, 한 종이가 도착했다. 명부였다. 원래 한 4시쯤에는 도착을 해야 하는데 오늘은 좀 늦어졌다.

“오늘은 왜 안오나 했네”

승유가 옆에서 궁금해했다.

“그게 뭔데?

"명부야. 사람이 죽으면 그 사람에 대한 정보가 쓰인 종이가 와. 그럼 난 그 종이를 보고 그와 어울리는 별을 만드는 거지. 오래전부터 해온 일이야."

매일 하던 일이었다. 명부만 보면 괜히 다소곳 해지고 차분해진다. 고인들의 마지막을 내가 마무리한다는 것이 기쁘기도 하지만 부담되기도 한다.

"우와 신기하다. 내가 뭐 도와줄 일은 없어?"

"넌 그냥 명부나 잘 정리해줘. 아! 이 장소는 아무에게도 말하면 안 된다! 내가 사람 없는 장소로 겨우겨우 정한거야."

"아 알겠어! 그럼 넌 매일 여기에 있는 거야?"

"저녁에는 동생 돌봐야 해서 아침부터 대략 저녁 6시까지 있어. 동생 학교 돌봄 반이 6시에 끝나거든."

"동생 있어서 좋겠다. 난 외동이라서 맨날 외롭게 자랐는데…너 같은 언니 있으면 정말 좋을 것 같아"

"…. 동생…. 원래는 다들 동생이랑 많이 싸우고 그러잖아. 근데 나는 왠진 모르게 항상 동생이 미안하드라."

"왜? 무슨 사연이라도 있는 것 같다."

"..."

"더 안 물어볼게."

"고마워"

하마터면 나의 가정사가 탄로날 뻔했다. 나의 가정사는 아무에게도 밝히고 싶지 않다. 승유에게 언제까지 숨길 수 있을까? 약간의 두려움이 생겼다.

***

엄마는 장사 때문에 아침에 일찍 나가 밤 늦게 들어오니까 이번 주말에 승유에게 우리집을 소개하기로 했다.

"이번 주말에 우리집 놀러올래? 내 동생도 소개해줄게. 꽤나 귀엽긴 하거든 히히"

승유를 집에 초대할 생각하니 설렌다. 이런 친구를 사귄 게 고등학생 되고 처음이라 긴장도 되었다. 이번 일로 승유와 더 가까운 사이가 되었으면 좋겠다.

2

아버지의 사업이 망하고 시골에 온지 2일차이다. 오늘 도서관에서 만난 여자아이가 머리속에서 잊히지 않는다. 그 애가 주고 간 소설책 한 권. 다 읽고 3반으로 오라고 했었지.

집으로 달려가 어서 읽어보았다. 많은 생각을 할 수 있는 책이었다. 도서관에 오래 있었다 하더니 역시 좋은 책을 잘 고르네. 평소라면 1시간 읽었을 것을 천천히 읽다 보니 2~3시간 정도 읽었다. 어서 학교에 가서 책을 돌려주고 싶다.

***

새로운 반에 배정이 되었다. 3반 팻말을 보는 순간 가슴이 쿵쾅거렸다. 어제 만났던 아이와 같은 반이었다. 심지어 그 아이가 내 옆자리가 되었다. 어떻게 이런 우연이 다 있지. 그 아이의 이름은 설아였다. 윤설아. 이름도 예쁘네.

나는 어제 읽었던 책을 다시 돌려주었다. 설아는 되게 놀란 눈치였다. 이 책이 굉장히 어려운 책이란다. 그리고 갑자기 나한테 친구하자고 했다. 사실 굉장히 당황스러웠다. 나에게 친구하자고 먼저 손을 내민 친구는 처음이었다. 무언가에 홀린 듯 나는 알겠다고 했다.

그리고 나에게 보여줄 곳이 있다 했다. 설아를 따라간 곳은 다름 아닌 도서관이었다.

"뭐야 그냥 도서관이었어?"

나는 그때 설아의 비밀스러운 눈빛을 알아차렸다. 책장을 여니 처음보는 어떤 공간이 나왔다. 나는 순간 해리포터에 온 마법 세계에 온 느낌이었다. 설마 진짜겠어 했는데 진짜라니. 믿기지가 않았다.

나에게는 명부만 정리해달라고 했다. 도울 일이 있으면 도와주려 했지만 명부만 정리하면 된다니 어쩔 수 없군.

설아는 자꾸 나의 당황하는 그 표정만 보면 깔깔 웃었다. 이 아이와 같이 있으면 나의 다른 모습들이 자꾸 나타난다.

나의 새로운 모습을 볼 때면 나도 깜짝깜짝 놀란다.

저 아이는 도대체 뭘까.

어떻게 나도 모르는 모습을 꺼내는 거지. 궁금해졌다.

***

도서관에서 대화를 하다가 갑자기 설아의 동생 이야기가 나왔다. 동생 얘기가 나오자 설아의 얼굴에 그늘이 졌다. 말하고 싶지 않아 하는 것 같아서 나는 더는 물어보지 않겠다고 했다. 설아의 가정사에는 무슨 일이 있는 걸까? 괜히 막 궁금해진다. 하긴, 나도 내 사연이 좀 복잡하긴 하지. 설아와 이런 이야기를 편하게 말하게 될 순간이 올까? 설아와의 미래를 생각해보았다.

도서관에서 나오면서 설아가 나에게 물었다.

"이번 주말에 우리집 놀러올래? 내 동생도 소개해줄게. 꽤나 귀엽긴 하거든 히히"

친구 집에 처음 초대받은 순간이었다. 나도 모르게 기대감이 부풀어올랐다. 친구 집에 가서 뭐하지? 지금 화요일인데 토요일까지 기다려야 한다는 것이 너무 힘들었다. 그래도 정신없이 지내다 보면 어느 순간 토요일이 되어있지 않을까 라는 생각으로 집으로 돌아갔다.

오늘은 특히 하늘을 자주 봤다.

"저 별들도 다 설아가 만든 거겠지...?"

별들이 오늘따라 더 아름답게 느껴졌다.

집이 점점 가까워오자 즐거웠던 마음이 싹 사라지고 걱정들로 차올랐다.

집은 언제나 싸늘하다. 아버지의 눈치를 살피며 내 방으로 들어갔다.

그리고 일기장을 폈다.

분노와 절망으로 가득 찬 일기장에 처음으로 긍정적인 단어들을 적었다.

그때 나는 느꼈다.

이 아이와 같이 있으면 예전보다는 밝아질 수 있지 않을까. 새로운 삶을 펼쳐 나갈 수 있는 나의 동반자가 되어줄 수 있지 않을까.

이 아이에 대해 더 알고 싶다.

나의 한줄기의 빛이 되어준 너를.

제2장. 이성 친구

1

승유와 친구 맺기로 한 바로 다음날이다.

친구가 있다고 생각하니 학교 가는 길이 마치 구름 위 같다라고 할까. 왠지 웃음이 자주 피어나는 듯했다.

같은 여자도 아니고 남자라니!! 이 참에 남자애에 대해서도 알아보고 싶다.

도서관에 가니 승유가 미리 와 앉아있었다. 책 들고 앉아있는 모습이 생각보다 멋있었다. 승유가 좀, 잘생기긴 했다!!

반하지 않을 수가 없는 존잘남!!

하지만 나는 친구로만 남기로 다짐했기 때문에...! 그 이상의 감정은 만들지 않기로 했다.

승유의 손에는 책과 다른 무언가가 있었다.

"손에 그거 뭐야?"

"아 이거 책갈피야. 어젯밤에 갑자기 너 생각나서 하나 만들어봤어"

승유가 말했다. 그리고 똑같은 책갈피를 내밀었다.

별 모양이었다.

"내가 하는 일에 찰떡이네. 그럼 이제 이거 우리 우정템이다!"

승유가 미소를 지었다. 그의 미소는 항상 나를 심쿵사하게 만든다.

이러다 얼굴까지 빨개질 것 같아서 바로 교실로 도망갔다.

"같이 가"

승유가 뒤따라왔다.

***

아무래도 승유와 옆자리이다 보니 쉬는 시간마다 대화를 자주 하게 되었다. 대화를 자주 하다 보니 무언가 하나 걸리는 것이 있다.

승유는 겉으로는 아무렇지 않아 보이지만 마음 깊숙이 남모를 상처가 있는 듯했다.

그 상처가 무엇인지는 모른다. 하지만 그 상처 때문에 오랜 시간 힘들었었던 것 같다. 점차 친해지다 보면 서로의 아픔도 나눌 수 있는 날이 오겠지?

학교 수업이 끝나고 도서관에 가면 승유는 항상 소설 한 권을 읽는다. 그 모습이 멋있긴 하지만 왠지 모를 쓸쓸함이 뒤에 감추어져 있다.

저 아이의 마음속 이야기들을 꺼내 보고 싶다. 하지만 조금은 기다려 주기로 하자.

때가 되면 말 해주겠지. 그렇겠지...

2

설아를 생각하다가 좋은 아이디어가 떠올랐다. 우리의 공통된 관심사는 책이라고 했으니까 별 모양 책갈피를 만드는 것!

별을 그리는 것은 생각보다 어려웠다. 약간 삐뚤빼뚤 하지만 그래도 책갈피 두 개를 완성했다. 예쁜 줄도 달고 각각 나와 설아 이름도 적었다.

들뜬 마음으로 만들다 보니 벌써 학교 갈 시간이 다 되었다. 어서 준비하고 도서관에서 전해줘야겠다.

설아가 들어왔다.

그리고 내 손에 있는 무언가에 관심을 가졌다.

나는 오다 주웠다는 듯 무심하게 건네주었다. 좋아해 줘서 다행이다.

책갈피를 우정템으로 하자고 했다. 이제 이 물건은 나

의 가장 소중한 물건이 될 것이다. 어쩌면 내가 죽을 때까지 간직하고 있을지도 모른다.

***

요즘 혼자 있는 시간보다 누군가와 같이 있는 시간이 더 길어졌다. 설아와 대화를 자주 하면서 말 속에서 묻어나오는 배려심이 매번 나를 감동시켰다.

나의 오랜 아픔을 치유해주는 느낌이랄까.

생각해보니 나는 나의 속마음을 아무에게도 말한 적이 없는 것 같다.

설아라면 괜찮지 않을까.

말하려고 해도 매번 타이밍을 놓쳐서 실패한다.

어느 타이밍이 가장 적절할지 고민중이다.

3

오늘은 승유가 우리집에 놀러 오기로 한 날이다. 그래서 일부러 아침에 일찍 일어나서 집 청소를 열심히 했다. 그때 내 여동생인 채아가 비몽사몽한 얼굴로 물어봤다.

"언니 갑자기 웬 청소? 오늘 누구 집에 와?"

"오늘 학교 친구가 집에 놀러 오기로 했어. 보면 인사 해. 남자라고 당황하지 말고"

어리둥절한 표정의 채아를 학교에 데려다 주고 빨리 학교에 갔다. 지루한 수업을 7교시나 듣고 승유와 함께 바로 집으로 향했다.

"짜잔! 생각보다 좀 작지?"

"아냐! 그렇게 작진 않아. 오히려 아늑해서 더 좋은 것 같은데?"

"에이 그냥 솔직하게 말해라"

"나 진심으로 말하는 건데?"

"오오 그러셨구나~"

"야 놀리지 마라"

"아 예예~"

역시 백승유 놀리는 게 제일 재밌어. 승유는 내 방을 둘러보더니 깊은 생각에 빠진 듯했다.

"무슨 생각해?"

"아...그냥...집 분위기 보니까 화목해 보여서"

"그래? 사실 어렸을 때 아빠 돌아가시고 나서 엄마랑 채아랑 똘똘 뭉쳐 지내긴 했지"

승유의 표정에 씁쓸함이 깔렸다. 나는 어서 화제를 바꾸려고 했다.

"혹시 떡볶이 좋아해? 나 떡볶이 되게 잘 만드는데."

"나는 가리는 음식 없어서 다 괜찮아. 오올 요리 잘하나봐~?"

"하 내가 이래봐도 요리 시작한지 5년차라고! 기다려봐 내가 오늘 솜씨 좀 뽐내보지"

"푸 알았어. 난 너 방 좀 구경하고 있을게"

"오키~"

승유가 어떤 스타일을 좋아할지 모르겠어서 완전 기본 맛으로 만들었다. 빨리 보여주고 싶어서 막 넣고 정신 없이 만들다 보니 벌써 완성이다. 까다로운 백승유씨의 입맛에 맞을지 걱정이다.

"어때...?"

".... 설아야"

"왜...?"

불안했다.

"너무 맛있는데? 파는 것보다 훨씬 낫다 야."

"다행이네... 야 깜짝 놀랐잖아. 내가 얼마나 심장 졸이고 있었는데."

"오오 요리 5년차 윤설아씨가 긴장할 정도로 어려운 요리였나봐~?"

"아니거든!!!"

"어어? 왜 발끈하지?"

"힝 거울치료 당하는 기분이야. 앞으로 백승유 못 놀리겠다."

"다행이다. 앞으로 윤설아의 놀림을 안 받을 수 있게 되어서^^"

"힝 흥칫뿡"

"아잇 삐지지는 말고"

"알았어... 빨리 먹기나 하자!!"

"어우 다 불었겠다."

"걍 먹어"

"알았어"

우리는 10분만에 떡볶이를 해치우고 좀 놀다가 채아를 데리고 왔다."

"채아야 언니 친구. 이름은 백승유고 인사해!"

"안녕...하세요?"

"안녕? 그냥 편하게 불러. 너 근데 진짜 이쁘게 생겼다."

"감사합니당!!!"

"앞으로 자주 보자!"

"넹넹!"

승유는 나보다 채아랑 더 즐겁게 노는 것 같았다. 채아가 나보다 백승유를 더 좋아하는 것 같아서 약간의 질투심도 생겼다.

"야 윤채아. 너 백승유 너무 좋아하는 거 아니야? 언제는 언니가 세계 최강이라며."

"히힛 승유 오빠는 언니보다 착해."

"뭐어? 야 내가 너한테 얼마나 잘해주는데. 그리고 오빠? 만난지 1시간밖에 안됐으면서 오빠라니... 너무 충격이야."

"아니 뭐, 그럴 수도 있지!!"

"어휴 둘다 그만 싸워."

승유의 개입으로 채아와의 말싸움이 끝났다. 그리고 이제 해가 어둑어둑 지자 승유는 집에 가겠다고 했다. 급하게 짐을 챙기고 빠르게 인사를 하고 집 밖을 나섰다. 승유가 지나간 자리에는 무언가가 떨어져 있었다.

"이건 뭐지?"

다름 아닌 일기장이었다.

승유에게 전해주려고 했지만 이미 가버린 후였다. 굉장히 심플한 줄노트 형식의 노트였다. 뭔가 읽으면 안 될 것 같아서 가방에 넣어 놓았다. 하지만 나는 궁금함을 견디지 못하고 몇 분만에 그 일기장의 첫 장을 다시 펼쳤다.

재작년부터 지금 현재까지 매일매일이 기록되어 있었다.

맨 앞페이지부터 마지막까지 차근차근 읽었고

그렇게 나는 승유의 과거를 알아버렸다.

4

나의 과거는 암담했다. 내가 단순히 조용하다는 이유로 찐따, 마마보이 등의 별명이 붙여졌다. 그리고 그에 대한 거짓 소문이 퍼져 나갔다. 정말 내가 생각해도 터무니없는 소문이었다. 학교 복도를 지나가면 여기저기에서 내 이야기를 수군덕거렸다. 사실 처음에는 대수롭지 않게 여겼다. 하지만 날이 가면 갈수록 나를 향한 화살들은 멈추지 않았다. 발을 거는 것을 시작으로 의자 빼기, 위에서 물 붇기, 내 사진 에어 드랍으로 뿌리기 등등 장난이라고 하기에는 너무 심한 고통이었다.

담임선생님께 말씀을 드렸다. 선생님은 나보고 조용히 넘어가자 하셨다. 일이 더 커지면 처리하기 복잡하다는 등의 핑계를 대며 조용히 묻어가려고 하셨다. 나는 그 말을 듣자마자 정말 어처구니가 없어 헛웃음밖에 나오지 않았다. 이번에는 부모님께 말씀드렸다. 아버지는 이제 막 시작한 사업 확폭에 연루되면 안 된다며 무시했다. 어머니도 마찬가지였다. 내가 유일하게 믿었던 부모님 마저도 나를 버렸다.

"다들 나한테 왜그래"

나도 모르게 눈물이 볼을 타고 내려왔다. 당하기만 하는 나의 처지가 말도 안 되게 절망스러웠다. 학교를 가는 이 매일매일이 나에게는 지옥이었다. 이곳에서 빠져나오고 싶었지만 나는 그럴 수 없었다.

방관하는 부모님과 선생님, 나를 괴롭히던 아이들 사이에서 나는 그저 장난감처럼 매번 놀잇감의 대상이었고 나는 도저히 견딜 수가 없었다.

학교 옥상 위로 올라갔다.

그냥 이 모든 것을 다 끝내 버리고 싶었다.

나만 없어지면 되지. 나 같은 존재는 살아 봤자 이 세상에 아무 도움이 되지 않아. 죽고 싶었다. 우울감과 자기 혐오가 내 마음을 모두 파헤쳐버렸다. 중학교때까지만 해도 굉장히 높았던 내 자존감이 지금은 바닥을

뚫어 깊이 가라앉고 있었다. 그날따라 맑았던 하늘이 원망스러워서, 길거리를 다니는 사람들이 너무 행복해 보여서 더 우울했다. 옥상 끝에 걸터앉았다. 그동안 살아왔던 내 인생을 되돌아보았다. 이런 저런 생각들을 하다가 문득 이런 생각이 들었다.

"근데 내가 왜 저 쓰레기들 때문에 내 인생을 포기해야 하는 거지?"

지금까지 열심히 살아온 내 인생이 너무 아까웠다. 나는 항상 내 삶은 행복하게 끝나야 한다고 생각해왔다. 모두의 사랑을 받으며 하고싶은 거 다 이루고 죽어야 한다고 생각했다. 하지만 그깟 저 새끼들 때문에 내 삶의 마무리가 이렇게 불행하게 끝난다면, 죽어서도 너무 큰 원한으로 남을 것 같았다.

나는 정신을 차리고 복수심에 가득 찬 마음과 함께 집으로 돌아왔다. 나를 괴롭게 만든 사람들의 최후는 꼭 보고 죽고 싶었다. 복수심으로 흑화한 나를 아무도 막을 수 없었다.

그 뒤로 학교에는 내가 자살시도를 했다는 소문이 돌기 시작했다. 이것 때문인지 우연인지는 모르겠지만 잘되나 싶었던 아버지의 사업도 점점 망해갔다. 아니, 그냥 망했다.

좋아해야 할 일은 아닌 것 같지만 좀 통쾌한 면도 없지 않아 있었다.

2학년 여름방학 때 나는 아버지의 사업 문제 때문에 시골로 이사 갔다. 나를 괴롭힌 주범들을 못 보는건 좀 아쉬웠지만 이제 이 굴레를 벗어날 수 있겠구나 라는 생각이 더 커 긍정적인 기분이 나를 사로잡았다.

이사를 갈 때 가장 먼저 고려한 것은 바로 고등학교였다. 이왕이면 도서관이 잘 되어있는 곳이었으면 좋겠다는 생각을 자주 했다. 나는 학폭을 당할 때 그저 책만 주구장창 읽었다. 책 만이 내 마음을 이해해줬기 때문이다. 책은 어느 순간 내 삶의 일부가 되어있었다.

그래서 바로 옆 도서관이 굉장히 크기로 유명한 선정고등학교 쪽으로 이사를 가길 원했다. 부모님은 내 의견을 그래도 들어주신 것 같았다.

학교 가기 이틀 전, 부모님은 집을 구경하고 계실 때 나는 도서관으로 갔다. 그때 너를 만났다. 뭐랄까... 전 학교 애들과는 분위기가 달랐다. 안도가 되었다.

이 동네에서는 나를 아는 사람이 없으니 오히려 좋았다. 나는 조용히 찐따 생활을 하려고 했다. 그저 조용하게 고등학교 2학년을 마무리하고 3학년에는 공부만 하며 나의 고등학교 생활을 그냥 흘려보내려고 했다. 근데 내가 너를 만나 내 곁에 나를 진정으로 위해주는 사람이 생겼다. 고등학교에 올라와서 친구라는 것을 처음 사귀고 편안하게 대화할 수 있는 사람이 생겼다.

이건 분명 나에게 온 축복이고 행운이다.

요즘은 행복하다. 옥상에 걸 터 앉았던 과거의 내가 정말 야속할 정도이다. 과거에 있었던 상처들이 조금씩 아물어가는 느낌이었다.

이 순간이 영원했으면 좋겠다. 끝나지 않았으면 좋겠다. 정말 하늘에 신이 있다면 빌고 또 빌 것이다.

이 행복을 제발 빼앗아가지 말라고.

제3장. 여행

1

이제 슬슬 말도 놓고 승유와 한층 더 가까워진 느낌이다. 근데 갑자기 승유가 제안 하나를 했다.

"설아야 우리 이번 주말에 시간되면 여행가자!"

"응? 갑자기?"

"그냥...요즘 가슴이 답답해서 말이야. 다른 지역으로 떠나고 싶어서."

"음...좋아! 그럼 장소는 내가 정한다. 강릉 어때? 강릉 바다가 진짜 짱이거든"

"오 강릉 좋지! 그럼 이제 준비를 해볼까나"

"근데 여행 우리 단둘이서만 가?"

"아마도 그렇지 않을까? 근데 왜?"

"아니 남녀가 단둘이서 간다고 생각하니까 좀...쑥쓰럽잖아?"

승유가 웃는다. 그리고 말했다.

"뭘 쑥쓰럽기까지야. 난 그냥 너와 더 많은 시간을 보내고 싶어서. 싫으면 안가도 돼."

"아냐!!! 난 좋지. 그저 잠깐 당황했을 뿐! 그럼 우리 이제 어떤 거 준비해야 하는거지...?"

"일단 호텔 예약하고 기차 표 예매하고...엄...."

"나는 주변 맛집이나 유명한 장소 찾아보고 있을 테니까 너가 호텔이랑 기차표 잡아줘!"

"알았어!"

"아 그리고 침대는 따로 되어있는 걸로 해야 하는거 알지?"

"야 당연하지 그럼 같은 침대에서 자려고 했냐?"

대화 중간중간에 웃음꽃이 피었다. 여행이라서 기분이 좋다기 보다는 승유와 함께한다는 것에 더 기쁜 느낌이었다.

도서관에서 여러가지 해결하고 채아를 데리러 갔다가 집에 돌아갔다. 여행가방을 미리 싸기 시작했다. 벌써부터 설렌다. 승유와 단둘이 데이트도 아니고 여행이라니!!!

주말까지 시간이 정말 느리게 흘러갔다. 휴대폰에는 여행 정보로 빼곡했다. 전날 밤까지 가방 체크하고 활짝 핀 얼굴로 잠자리에 들었다.

2

설아에게 여행가자고 말을 꺼냈다. 처음에는 당황하는 표정이더니 좋다고 했다. 여행지는 설아의 의견을 따라 강릉으로 정했다. 바다와 가장 가까운 호텔로 예약을 하고 기차도 빨리 예약했다.

분명 내가 먼저 가자고 했는데 왜 긴장이 되지?

여행 계획은 계획형인 설아 덕분에 순조롭게 세워졌

다. 그리고 아직 세우지 못한 나만의 마지막 계획이 남아있다.

고백 계획.

나는 설아를 처음 만났을 때부터 이상하게 설아에게 호감이 갔다. 처음에는 누구에게나 느낄 수 있는 호감이지 라고 생각하며 넘어가려고 했다. 하지만 시간이 지나면 지날수록 나의 감정에는 확신이 생겼다.

설아를 생각하면 탁하던 공기가 맑아지는 느낌이다. 칙칙하던 내 삶에 물감을 입혀준다. 설아는 나한테 그런 존재이다.

어느 순간 설아와 함께하는 미래를 상상하게 됐다.

나는 분명 설아를 좋아하는 것이 확실했다.

나는 내일 밤, 바다 앞에서 고백을 할 것이다. 내가 거기에서 무슨 멘트를 날릴지는 나도 모른다. 하지만 내일, 분명 나는 설아에게 내 마음을 전하고 우리 둘은 더 가까워질 것이다. 이런 저런 생각을 하며 떨리는 가슴을 안고 잤다.

3

우리는 KTX를 타고 바로 강릉으로 갔다. 엄마 없이 가는 첫 여행이다. 그것도 남자 애랑!!

가는데 대략 2시간정도 걸렸다. 나도 모르게 기차에서 잠들었다가 일어나보니 벌써 도착이었다. 승유는 창밖을 바라보다가 일어난 나를 발견하고는 싱긋 웃어주었다.

"벌써 다왔어? 깨우지 그랬어."

"너무 잘 자고 있길래... 어서 준비하고 나가자"

우리는 짐을 꺼내고 나가서 바로 호텔로 갔다. 호텔이 가까운 데에 있어서 걸어갈까 라는 생각을 했지만 걸어가기에는 너무 먼 것 같아서 그냥 택시를 급하게 잡고 갔다. 호텔 체크인도 하고 입실해서 짐 풀고 옷도 갈아입지 않은 채 침대에 누웠다.

우리의 계획은 주위에 있는 인기 장소들에 가는 것이

었지만 둘 다 힘들어서 쉬었다. 지금까지 한 일은 아침에 일찍 일어나서 KTX를 타고 온 것밖에 없는데 벌써 지친 것이다.

둘 다 2시간정도 잤다가 호텔 근처에 있는 맛집에 가서 밥을 먹고 바다에 갔다. 철썩이는 파도소리를 들으며 승유와 나란히 앉아 바다를 바라보고 있으니 가슴이 뻥 뚫리는 느낌이었다.

나는 자연스럽게 승유의 어깨에 기대고 있었다. 지금 흐르고 있는 시간 몇 분 몇 초가 너무 소중했다. 선선한 바람과 밝은 하늘, 그리고 은은하게 나는 바닷물의 비린내가 합쳐져 정말 감성 있는 분위기가 되었다. 기분이 몽글몽글했다.

친구로만 지내기로 했던 과거와 비교했을 때, 난 확실히 달라졌다.

어쩌면 내가 그 애를 진짜로 좋아하게 됐을지도 모르겠다.

말없이 바다만 바라보다가 승유가 먼저 말문을 열었

다.

"설아야"

"응?"

"내 과거 얘기 한 번도 안 들어봤지."

"응응"

사실 알고 있어.

"해줄까?"

"너만 괜찮으면"

승유의 과거 이야기는 들을 때마다 가슴이 저린다. 이 이야기를 덤덤하게 얘기하는 승유가 놀랍기도, 안타깝기도 했다.

"고마워"

"응?"

승유가 놀란 모습이었다.

"너의 과거 얘기하기 쉽지 않았을 텐데 나에게 용기 내준거잖아. 고맙다고."

나를 믿어주는 승유가 그냥 고마웠다. 나를 믿어주는 사람이 있다는 것 자체만으로 나의 삶의 원동력이 되었다.

나는 오늘 확신했다.

나 백승유 좋아하는구나.

승유도 나와 같은 마음이었을까. 내가 말하기 전에 먼저 나를 불렀다.

"설아야"

"왜?"

"나 할말 있어"

"뭔데?"

"나 너 좋아하나 봐."

우리는 서로 놀라 마주보았다. 나는 승유의 말에 놀라

서, 승유는 자신이 고백한 것에 대해 놀라서. 서로 신기해하는 중이었다.

"너와 함께 있으면 온 세상이 무지갯빛으로 변해. 방 안에 비치는 햇살만 봐도 너가 생각나고 아름답게 지고 있는 노을을 보고 있으면 어느 순간 너를 떠올리고 있어.

나 너 좋아하나봐."

"........ 나도 너 좋아해. 아주 많이."

영원히 하지 못할 줄 알았던 이 한마디를 내뱉고 우리는 빙긋이 웃었다.

차가운 밤공기가 낭만으로 가득 차 따스해졌다.

정말 아름다운 밤이었다.

***

다음날 아침이다. 서로 비몽사몽한 상태로 옷을 입고 조식을 먹었다. 내가 어제 했던 말이 떠올라 머리속에는 어떡하지 라는 생각으로 가득 찼다. 승유도 마찬가

지인 듯했다.

어색한 식사를 마치고 근처에 있던 롤러스케이트장에 갔다. 굉장히 P스러운 충동적인 결정이었다.

우리는 그 자리에서 바로 입장권을 사고 롤러스케이트와 보호장비 대여비를 내고 들어갔다. 내가 되게 잘 못 타자 승유가 내 손을 잡아주었다. 심장이 미쳐 날뛰었다.

승유는 되게 능숙하게 잘 탔다. 나도 저렇게 타고 싶었지만 마음처럼 되지 않았다.

"으앙 나도 잘 타고 싶어."

"좀 더 연습해봐~ 연습하면 빨리 는다니까?"

"진짜지?"

"당연하지"

"그럼 백승유 말 한번 믿어본다."

승유와 함께 대화하며 몇 바퀴를 더 돌았다. 이제 좀 잘 타는 것 같아서 조금 속도를 냈더니 다리에 힘이 풀려 중심을 못 잡고 꽈당 넘어졌다.

"괜찮아?"

승유가 달려왔다.

"난 괜찮아"

"너 안 괜찮아 보여. 우선 여기 까지만 하자. 이정도면 우리 되게 많이 탄거야!"

아쉬웠지만 같이 정리를 하고 바로 옆에 있는 냉면집에 가서 점심을 때웠다. 그리고 호텔에서 짐을 가지고 나왔다.

바다 사진도 조금 찍고 갔다. 여기서 고백을 받았다고 생각하니 바다가 갑자기 오글거리는 장소로 변했다.

"승유야"

"응?"

"그럼 우리 오늘부터 1일이지?"

"아니지. 2일이지"

"그게 그거지 뭐. 너 T야?"

"T인건 어떻게 알았지"

"넌 그래 보여."

승유와 틈틈이 시시콜콜한 농담을 나누며 집으로 돌아갔다. 정말 짧고 굵은 여행이었다.

4

학교에서 설아와 만나서 기차역으로 갔다. 어제 미리 사뒀던 탑승권을 뽑고 대기하고 있었다. 새벽 6시였다. 풋풋한 새벽공기가 잠을 불러일으켰다. 기차 타기 30분 전으로 알람을 맞춰두고 둘 다 뻗어 잠들었다.

알람에 깜짝 놀라 일어나서는 기차를 타고 짐을 넣은 다음에 기차가 출발했다. 설아는 옆에서 자고 있었다. 사실 재밌게 수다를 떨면서 가고 싶었지만 설아가 너무 피곤해 보여서 밖에 풍경을 바라보며 심심풀이를 했다.

"우와...바다다..."

내가 생각했던 것보다 훨씬 청량해 보였다. 설아에게 보여주고 싶었지만 우선 사진과 동영상으로 남겨두었다. 햇빛이 비쳐 반짝반짝 빛나는 해수면이 휴대폰에 다 담기지 않았다. 이 예쁜 풍경을 같아 보지 못한 것이 너무 아쉬웠다.

드디어 긴 여정 끝에 강릉에 도착을 하고 막 잠에서 깨어난 설아와 함께 호텔로 갔다.

호텔에서 쉬고 있을 때 내 머릿속에는 온통 고백 멘트들로 가득 찼다. 멘트들이 이리 엉키고 저리 엉켜 복잡했다. 나는 머릿속에 있는 말들을 천천히 정리했고 그날 밤, 밤바다 앞에서 고백을 했다.

지금 생각해보면 내가 너무 오글거리는 말을 한 것 같아 좀 쪽팔린다. 그래도 쨌든 성공이니까, 설아와 마음이 통했으니까 안도감이 들었다.

나 이제 윤설아 여친이다. 내가 정말 좋아하는 친구이자 연인인 만큼, 좋은 것만 경험하게 해줄 것이다. 그 애의 하루가 항상 빛나도록 해줄 것이다. 누구 하나 부럽지 않은 남친이 될 것이다. 나는 오늘 또 한 번 다짐을 한다.

***

호텔 주위를 산책하다가 롤러스케이트장을 발견했다. 원래 계획에는 없었지만 오랜만에 충동적인 결정을 해보았다. 설아와 손을 잡으며 나란히 타고 있으니 이보다 더 행복한 것이 있을까. 점심을 옆에 있는 냉면집에서 먹고 체크아웃을 할 준비를 했다. 이대로 가기에는 너무 아쉬워서 바다에 가 사진을 더 찍었다. 설아는 바다 사진을 찍고 있었지만 나는 바다 사진을 찍는 설아의 모습을 찍었다. 남들 눈에는 어떨지 몰라도 내 눈에는 다 예뻤다. 사랑꾼 인생은 정말 멋진 것 같다.

"근데 나 말 안 한거 하나 있어"

"응? 뭔뎅?"

"혹시 내 일기장 봤어? 그냥 작은 흰색 줄노트인데..."

갑자기 없어진 내 일기장이 문뜩 떠올랐다.

"아 그거 우리집에 있어. 내일 학교에서 줄게!"

"혹시 안에 본거 아니지...?"

"헐 어떻게 알았냐"

"잠만 뭐라고? 그럼 이미 다 본거야?"

"응"

설아는 찡긋 눈웃음을 날렸다. 정말 당황스러웠다. 이미 알고 있었다니. 내 되게 용기내서 말한건데... 그동안 내가 고민했던 시간들이 모두 가루가 되어 사라지는 것 같았다.

"근데 어차피 어젯밤에 다 말해서 상관없잖아?!?!"

"그렇긴 한데... 좀 배신감 드는데?"

"뭐라고?! 아 근데 내 잘못도 있긴 해."

"빠른 인정 좋아"

"풉 그 말투는 뭐냐"

"왜 뭐가 어때서"

"아니 넘 웃기잖아"

설아는 나만 보면 저렇게 웃는다. 내가 웃긴걸까 아님 설아가 잘 웃는걸까. 가끔 내 정체성에 혼란을 느낀다.

설아와 한바탕 웃고 다시 호텔에 가서 짐을 싸고 체크아웃을 했다. 기차를 타고 다시 집을 가는 동안에 여행에서 있었던 모든 순간들이 파노라마처럼 머릿속을 지나갔다. 내 인생에서 가장 오래 남을 기억이다. 너와 갔던 첫번째 여행.

제4장. 사랑, 그리고 우정

1

"으아아악 어떡해"

"무슨 일이야?"

"여행 갔다 온 사이에 명부가 이렇게 쌓였어"

"내가 잘 정리해 줄게~ 그럼 좀 더 수월해지지 않을까?"

"승유 땡큐"

"뭘 이런 거 가지고."

승유의 멋쩍어 하는 웃음이다. 우리는 지난 여행 이후로 진짜로 연인이 되었다. 아직은 좀 쑥스럽지만 서로 애정표현을 많이 한 탓인지 전교생에 소문이 쫙 퍼졌다. 평소에는 나에게 관심도 없던 친구들이 갑자기 말을 걸더니 주위에 친구들이 자주 모여들기 시작했다. 승유도 마찬가지였다. 전학생이라 같이 대화하는 친구라곤 나 밖에 없었는데 점점 친구들이 생기기 시작했다. 우리 둘 다 이 학교에서 진짜 무존재감이었던가보다.

나는 이번에 지원이와 가은이랑 친해지게 되었다. 이 둘은 원래부터 단짝이었던 것 같다. 원래부터 나한테 다가오고 싶었는데 계속 기회를 못 잡았다고 했다. 내가 느끼기에는 변명 같지만 쨌든 좋은 친구들이어서 거절하지는 않았다.

가은이는 알고 보니까 우리집 바로 건너편에 살던 친구였다. 그래서 앞으로 등교할 때 같이 가기로 했다. 승유와만 지낼 때는 몰랐는데 확실히 여자아이들과 친해지니 뭔가 공통된 요소들이 많았다. 여자들만 아는 그런것들을 친구들에게 스스럼없이 말할 수 있다는 것이 나에게는 굉장히 신기한 경험이었다. 승유와 친해질 때보다 훨씬 빠르게 친해져 내가 원래 이렇게 친화력이 좋았던가 라는 생각이 들게 만들었다.

그렇다고 승유와 멀어졌다는 뜻은 아니다. 매일 학교 끝나고 도서관에서 나는 별을 새기는 일을 하고 승유는 명부를 정리해주며 소소한 대화를 나누었다. 그리고 주말에는 한달에 대략 두 번씩 시내로 올라가서 영화도 보고, 가끔은 놀이공원도 가면서 데이트를 했다. 청춘드라마에서만 보던 짓을 내가 하고 있다는게 참 믿기지가 않는다.

요즘은 과거에 내가 힘들었던 일이 있었다는 것이 이상하게 느껴질 정도로 너무 행복하다. 좋은 친구들과, 좋은 남자친구와 내가 좋아하는 일과 함께 있으니 이보다 더 좋을 수가 있겠는가. 학교 도서관에서 나와서 채아를 데리고 오고 저녁 먹고 집에서 숙제하는 이 지루한 일상에 친구 하나가 들어왔을 뿐인데 이렇게 행복하다는 것이 과거의 나에게 이질감이 들었다. 나는 지금까지 정말 재미없는 인생을 살았구나. 이럴 줄 알았으면 내 아픔을 조금이라도 빨리 이겨내볼걸. 후회감이 물밀듯이 밀려왔다.

오늘은 오랜만에 악몽을 꾸었다. 이렇게 행복한 날에 악몽을 꾼다는 것이 모순되는 말 같다. 승유와 가까워지고 나서 거의 처음 꾸는 악몽이다. 악몽은 매번 나를 힘들게 만든다. 과거의 트라우마가 다시 재생되면서 괴로움이 반복되었다. 항상 베개에는 식은 땀이 흥건했고 눈에서 또 다른 액체가 흘렀다. 숨이 가빠오며 가슴이 답답했다.

시원한 물 한잔을 마시고 겉옷만 걸친 채 밖에 나왔다. 어딜 갈지 몰라 떠돌아다니다가 그냥 학교 도서관으로 갔다. 근데 그곳에는 승유가 미리 와있었다. 승유와 눈이 마주친 순간 뇌정지가 와 서로 마주본 채 가만히 서있었다. 나는 잠옷을 입고 있었고 무엇보다 몰골이 말이 아니었기에 후다닥 다시 밖으로 뛰쳐나가려고 했다. 근데 그때 승유가 붙잡았다.

"무슨 일 있어?"

나는 왜 승유의 이 한마디 때문에 눈물을 흘렸을까. 위로도 아니고 단순 질문에 나는 왜 주저앉아 서럽게 울었을까.

"승유야 나 너무 힘들어..."

승유는 말없이 안아주었다. 이 시간에 왜 승유가 도서관에 있었는지는 모르겠지만 그때 나는 승유에게 위로를 받았다는 것만은 확실했다. 승유는 자기 가방에 있던 요구르트를 꺼내 하나를 건넸다. 벌거진 눈과 함께 요구르트를 빨고 있는 내 모습이 너무 한심해 보였지만 내가 내 과거 얘기하는 동안에 보였던 승유의 표정은 전혀 그런 것 같지 않게 만들어주었다.

그렇다. 나는 승유에게 내 과거사를 처음으로 꺼냈다. 누구에게도 말하지 못해 매일 밤마다 끙끙 앓게 하던 그 이야기가 처음으로 내 입 밖으로 나왔다. 승유는 덤덤한 표정으로 끝까지 들어주었다. 들어준 것만으로도 감사했다. '괜찮아?' 라는 이 한마디가 검게 타버린 마음에 활력을 불어넣어주었다. 어쩌면 나는 가식적인 조언의 말들보다 '괜찮아?', '많이 힘들었겠다' 이런 말들이 더 듣고 싶었던게 아니었을지도 모르겠다.

이제 우리는 서로의 과거를 알게 되었다. 우리의 아픔을 서로 공유하며 서로의 위안이 되어주고 어느새 마음의 안식처가 되어주었다. 이렇게 우리는 더 돈독해지고 한층 더 성장했다.

2

여행을 끝내고 평소처럼 학교에 다녔다. 오늘은 학교를 평소보다 늦게 왔는데 왠진 모르겠지만 모두 나에게 관심이 가득한 눈빛을 보냈다. 나는 설아에게 가서 무슨 일 있냐고 물어봤다.

"오늘 학교 왜이래...? 무슨 일 있어?"

"우리 사귀는 거 학교에 소문 다 났어"

설아가 속삭이며 말했다.

"...? 어떻게...?"

"너가 너무 나에게 애정표시를 많이 해서 그런 거 아

니야"

"엥 나 그 정도는 아니었는데"

"암튼 우리 지금 이 학교에서 완전 화제의 주인공 됐어. 아 어떡해...나 이런 거 부담스러운데."

"뭐 어쩔 수 없으면 즐겨야지."

"너 원래 이런 스타일이었냐?"

"엉 이제 알았나 보네"

"뭔가 너의 이미지가 내 첫인상과 많이 달라지고 있어."

"너가 이렇게 만든 거야"

설아는 어이가 없다는 표정을 지었다. 조회시간이 끝나자 몇몇 남자애들이 나에게 와서 말을 걸었다.

"너 여친 있는 남자였냐? 생각보다 의외네."

그 중에서도 나랑 가장 잘 맞는 친구는 경훈이와 선우였다. 경훈이는 겉으로 봤을 때는 엄청 조용해 보였는데 대화를 나누다 보니 굉장히 쾌활한 친구였다. 선우는 나와 성격이 비슷했다. 그래서 그런지 우리의 MBTI도 똑같았고 생각하는 사고방식도 똑같았다. 그래서 그런지 경훈이와 선우와 같이 있으면 쓸데없는 말부터 시작해서 잔소리까지 술술 나왔다. 설아라면 조금은 조심스러워서 하지 못했을 말들을 편하게 할 수 있다는 것이 동성친구의 장점이었다.

수업이 끝나고 오늘도 어김없이 도서관으로 향했다. 설아와 함께 있으면 굳이 말을 하지 않아도 편안했다. 설아의 별 새기는 소리와 나의 명부 정리하는 소리가 이 공간 안에 울려 퍼졌다.

"승유야"

"응?"

"너 황선우랑 친하냐?"

"뭐, 그런 셈이지?"

"유지원이 개 좋아한대"

순간 놀라 사래 들릴 뻔했다.

"유지원? 걔 이쁘다고 소문난 애 아니야?"

"걔가 이쁘긴 하지. 눈이 완전 왕방울만해. 아니 근데 지원이가 선우를 좋아할 줄은 진짜 몰랐어."

"흠... 그래서 어떻게 할 거야? 선우한테 얘기할까?"

"그러게... 그냥 짝사랑하게 냅둘까?"

"에휴 모르겠다... 나도 그게 고민이다. 암튼 알고 있으라고... 혹시 타이밍이 맞으면 지원이 어떻게 생각하는지 물어봐 바"

"오키 알았어."

"으아아아 피곤하다. 남친님 나에게 힘을 주거라"

"이야야얍!"

"흐흐흫흐흫 우리 진짜 초딩같다."

"그러게. 가끔 생각해보면 우리 약간 미친 것처럼 보여."

"곧 시험 기간이잖아... 하... 나 공부 못하는데 어떡하지"

"기만자."

"아 진짜 왜 자꾸 나한테 기만자래! 너무해!"

설아가 삐진 표정을 지었다. 내 눈에는 마냥 귀여워 보였다. 내 눈에는 사랑의 콩깍지가 씌워진 것이 틀림없었다.

"치 얼른 화 풀어~"

"알았어..."

"벌써 6시다! 이제 퇴근하자!!"

"오 아싸 집 가서 놀아야쥐~"

"어어, 몇 분 전에 시험기간이라고 말한 사람이 누구였더라~?"

"에잇 기분 다시 안 좋아지려고 해"

"빨리 가자"

"응"

요즘은 예전보다는 가벼워진 발걸음으로 집에 돌아갔다. 설아에게 다시 돌려받은 일기장을 다시 펼치고 기분 좋았던 일들을 써 내려갔다. 설아를 만난 이후로부터 내 일기장은 행복으로 가득 찼다. 내 예전 일기들을 읽어볼 때면 정말 우울함으로 가득 차 괴로워졌다. 그래서 나는 예전 일기를 이제 보지 않기로 했다.

아주 잠깐만 침대에 누워서 쉬려고 했지만 금세 잠이 들어버렸다. 고요한 새벽이었다. 이왕 일찍 일어난 거 그냥 도서관에 있다가 바로 등교하는 것으로 결정했다. 교복을 입고 가방을 싸서 도서관으로 갔다. 눈에 보이는 소설책 한 권을 무작정 읽다가 재미없어 책장을 정리하고 이제 무엇을 할까 고민하던 찰나였다. 그때 설아가 들어왔다. 머리는 헝클어져 있고 잠옷에다가 겉옷만 걸치고 들어왔다. 설아는 나를 보고 굉장히 당황한 모습이었다. 밖으로 뛰쳐나가려는 걸 내가 붙잡았다. 분명 무슨 일이 있는 것이 확실했다.

"무슨일 있어?"

그 말이 끝나자마자 설아는 눈물을 쏟았다.

"승유야 나 너무 힘들어..."

나는 조용히 설아를 안아주었다. 이 상태로 몇 분쯤 있었을까. 진정이 되었을 즘에 나는 가방에 있던 요구르트를 하나 건넸다. 설아는 요구르트를 먹으며 나에게 자신의 과거 이야기를 해주었다.

"내가 어렸을 때 말이야, 아빠랑 같이 공원에 갔었어. 왠진 모르겠는데 내가 그때 공원 가자고 엄청 떼를 썼었어. 엄마는 다음에 가자고 했는데 아빠가 데려가겠다고 했었나봐. 그래서 단둘이 나름의 데이트를 갔었지. 그렇게 재밌게 놀고 집에 오는 길이었어. 차가 뭔가 이상한 거야. 평소보다 너무 빨리 달리는 거 있지? 아빠가 엄청 당황해 했었어. 그때 브레이크에 이상이 있었다는 건 나중에 들었어. 차도를 막 달리다가 결국 약간 경사가 있는 곳에 굴러 떨어졌어. 나는 웅크리고 있었어서 살았지. 심지어 별로 다치지도 않았어. 근데 그 날 아빠가 돌아가셨어. 나 그 뒤로 죄책감에 엄청 시달렸다. 나 때문에 아빠 돌아가신 거라고. 맨날 악몽 꾸고 그때는 차 타는 것도 무서워서 걸어 다녔어. 거기에다가 어려워진 가정형편 때문에 친구들의 놀림까지 받으니까 아주 환장하겠더라고."

"..."

"이게 나의 7살 시절이야. 이 시절을 견뎌온 게 더 신기해"

"..."

나는 설아의 이야기를 들으면서 아무 말도 하지 못했다. 머릿속이 복잡해졌다. 그동안 얼마나 외로웠을까. 감정을 마음 속에 꾹꾹 눌러두고 밝은 모습만 보이려고 얼마나 애를 썼을까. 내 앞에서는 밝은 척을 하고 집에서 혼자 힘들어했을 것을 생각하니 너무 마음이 아팠다. 그걸 몰라준 내가 원망스러웠고 또 설아에게 너무 미안했다.

"괜찮아?"

내가 유일하게 던진 마지막 말이다. 이 말이 조금이라도 위로가 되었으면 하는 마음이다. 이야기를 다 털어

놓고 나니 도서관에 들어올 때보단 훨씬 편안해진 모습이다. 약간은 안심이 되었다.

벌써 7시가 다 되어가고 있었다. 설아는 집에 가서 교복으로 갈아입고 가방도 챙겨 다시 오겠다고 했다. 그렇게 설아는 가고 도서관에 나만 남았다. 어색한 침묵이 흘렀다. 설아의 과거가 이렇게 가슴 아픈 스토리일 줄은 몰랐기에 당황스러움과 미안함, 이런게 섞인 오묘한 감정이 들었다. 오늘은 서로의 과거를 모두 알게 된 조금은 특별한 날이 될 것 같다. 이 새벽 이후로 우리는 서로의 마음을 헤아려주고 공감해주는

더 애틋한 사이가 되었다.

3

예상치도 못했던 만남에 당황스러웠던 표정을 감추고 다시 학교 갈 준비를 했다. 도서관에서 너무 내 얘기만 했나 라는 생각 때문에 좀 민망했다. 사실 누구 앞에서 그렇게 펑펑 오열한 것도 처음이라 기분이 묘하게 이상

했다.

교실에 들어갔다. 일찍 갔다가 승유와 단둘이 있으면 오늘은 좀 어색할 것 같아 일부러 시간 딱 맞춰서 왔다.

"어이 윤설아 너가 웬일로 나보다 늦게 오냐? 그리 부지런하던 사람이 늦게 와서 걱정했잖아"

유지원이었다. 나는 아무렇지도 않은 척 대답을 했다.

"아...그냥... 일찍 일어나긴 했는데 늦게 한번 와보고 싶었어...!"

"쓰읍 아닌데... 너 무슨일 있지. 너 울었구나. 눈이 아주 팅팅 부었어."

"뭐? 아니거든!! 하 씨 눈에 벌 쏘인 것도 아니고 눈 왜 이래."

나는 애써 빨리 이 상황을 넘어가려고 했다. 지원이는 눈치를 챘는지 더이상 물어보지 않았다. 나의 비밀은 승유에게만 알려주는 것으로 결정했다. 나의 비밀이 더 이상 알려지길 원하지 않았다.

1교시가 끝났다. 가은이가 내 자리로 다가왔다.

"설아야 아침에 무슨일 있었어? 전화해도 안 받던데..."

나는 그제서야 3통의 부재중 전화를 발견했고 아침에 같이 등교 못한다고 전하지 못한 것도 생각났다.

"허억 내가 미쳤나 봐...미안해... 내가 아침에 너무 정신이 없었어"

"괜찮아! 넌 앞으로 다시 안 그럴 거라고 믿어."

"고맙다 한가은... 난 너 밖에 없다"

"히히 사랑해"

"나도"

"아 그리고...뭐 얘기할 거 있으면 편하게 말해도 돼...! 내가 이래봐도 꿈이 심리상담가거든"

"으응.. 알았어! 고마워"

나한테는 긴장감 넘쳤던 가은이와의 대화가 끝났다. 수업을 모두 마치고 항상 가는 그 장소로 갔다. 오늘은 어색한 기류가 흘렀다. 이 분위기가 싫었다. 그래서 나는 내 비밀을 하나 더 말해주기로 결정했다.

"승유야 넌 언제 죽을 것 같아?"

"글쎄... 난 오래오래 살다가 행복하게 죽고 싶은데. 근데 왜?"

"사실 나한테 신기한 능력이 있거든."

"혹시 그게 죽음과 관련된 거야?"

"눈치는 빨라가지고... 맞아...! 뭔가 죽음이 임박한 사람을 보면 심장 쪽에서 약간 붉은 빛이 보여. 안 믿는 거 아니지...?"

"못 믿겠지만 이번 것도 한번 믿어볼게."

"풉 그건 뭐야."

"뭔가 너는 너무 신기해. 아니 솔직히 말해봐. 학기 초에는 갑자기 어떤 여자애가 도서관에서 비밀 공간을 보여 주지를 않나. 이번에는 갑자기 죽음을 감지 한다니. 너라면 그걸 믿겠어?"

"솔직히 좀 말이 안 되긴 해. 혹시 나한테 출생의 비밀 같은 거 있는 거 아니야?"

"쓸데없는 상상 멈춰"

"너무해. 백승유 너무 단호해"

"미안. 내가 좀 사람이 딱딱해. 이해 부탁 바람."

"에잇. 알았어."

해가 저묵저묵 지고 있었다. 나는 얼른 짐을 싸서 집으로 갔다. 집은 항상 고요하다. 그 고요한 분위기를 깨는 휴대폰 메시지 소리가 울려 퍼졌다.

띠링.

[똑똑 윤설아씨 맞으신가요오?]

승유와의 첫 문자이다.

[뭐야ㅋㅋㅋㅋㅋㅋㅋ 갑자기 문자 뭔데ㅋㅋㅋㅋㅋㅋ]

[그냥.. 심심하자나?!?!]

[너 시험공부 안하냐?]

[어허 내 앞에서 시험 얘기 금지야]

[칫 공부 잘하는 사람이 그렇게 얘기하니까 좀 거리감 생긴다?!?]

[지도 잘하면서]

[너보단 못해]

[암튼 연락한 이유는]

[엉엉]

[옷 따뜻하게 입으라구. 이제 12월이니까 추워지는 것 같아서.]

[헐 벌써 겨울이라니... 말도 안돼...]

[ㅋㅋㅋㅋㅋ우리 만난지 나름 2달 15일차야. 미쳤지]

[와아 대박이다. 시간이 벌써 이렇게 지났나]

[히힣 남은 고등학교 생활도 잘 보내보자고!!!]

[알았엉!!]

[잘자. 지금 2시야]

[네에에엡]

승유와의 문자를 끝낸 후에도 1시간은 뒤척이다가 잠들었다. 아침이 밝았다. 자고 일어나니 아무 기억이 나지 않았다. 그저 휴대폰에는 텅텅 비어 있던 메세지함에 몇 마디가 채워져 있었고 그 문자 속에서 다정함과 행복, 기쁨, 당황스러움 등이 묻어져 나왔다. 그 문자를 하는 동안에는 내가 웃고 있었음이 틀림없다.

평소에는 우울하더라도 승유와 함께 있는 시간만큼은 정말 행복했다. 입꼬리는 내려갈 줄 모르고 긍정적인 생각이 머릿속을 맴돌았다. 승유는 타인의 생각을 변화

시킬 수 있는 강한 힘을 가지고 있다. 적어도 나에게는 그랬으니까. 두려움과 고통이라는 감옥에 있던 나에게 밝은 햇살을 비춰준 그는 나의 은인이다. 나도 그에게 좋은 영향력을 주는 사람이 되어주고 싶다. 나도 그에 맞는 보답을 하고 싶다.

나도 승유에게 캄캄한 어둠 속의 작은 빛이라도 되어주고 싶다.

우리 둘의 관계를 연인으로 표현하긴 했지만 우리는 서로를 잘 아는 가까운 친구였다가, 서로를 사랑하는 여자친구, 남자친구였다가 때로는 심리 상담원이 되어주었다가 지금은 서로의 희망이 되어주고 있다. 나는 언제부터 승유를 이렇게까지 아끼게 되었을까. 7살 이후로 가족 이외의 사람들 중에 내가 이정도까지 생각하게 만드는 사람은 승유가 처음이었다. 나는 그에게 어떤 존재일지 매일 물음표를 날려보게 되었다.

이런게 사랑인가보다.

친구들과 장난스레 던지는 그 사랑해라는 말의 진짜

의미를 이제야 좀 알게 된 것 같다. 진정한 사랑은 단순히 서로를 좋아하는 것 그 이상의 더 큰 의미를 담고 있다는 것을 깨닫는 순간이었다.

***

"야 유지원!!"

저 멀리 복도에서 들리는 소리였다. 지원이의 작년 같은 반 친구인 주혜원이다. 혜원이는 매일 점심시간마다 한 번도 빠짐없이 우리반에 찾아왔다. 처음에는 우리반 친구들도 귀찮아 하는 듯했는데 지금은 그냥 다들 이해해주는 듯한 분위기이다.

내가 혜원이와 친해지게 된 계기는 너무나도 단순하다. 그냥 친구의 친구라서. 혜원이는 굉장히 털털한 성격이라 그런지 누구와도 잘 맞았다. 학기 초에는 잘 모르는 사이였는데 지원이와 친해지고 난 이후에는 혜원이와 몇 번 대화하다 보니 어느새 친해지게 되었다. 그래서 나, 가은이, 지원이, 그리고 혜원이까지 해서 4총사가 완성되었다.

"내가 비밀 하나 알려줄까?"

4명이서 점심시간에 운동장에 있을 때였다. 혜원이가 말을 꺼냈다.

"저기 백승유 옆에 있는 애 있잖아."

"서경훈?"

"응응, 암튼 쟤 내 사촌임"

"뭐어?"

세 명이 동시에 답했다. 우리 4총사는 승유네 무리와 많이 얽히게 되었다. 우선 승유와 나는 커플이고, 혜원이와 경훈이와 사촌지간이고 그리고 황선우가 유지원의 짝남이었다.

승유와 단둘이 노는 것도 물론 좋았지만 이렇게 단체로 여자 4명, 남자 3명 무리를 합쳐서 노는 것이 더 재밌었다. 지금까지 느껴보지 못한 새로운 즐거움이었다. 시험이 끝나고 즉석 떡볶이 집에 가서 왁자지껄 수다 떨며 밥 먹고, 노래방도 가고, 가끔은 생일파티도 하는 이 경험들이 하나 하나 쌓여 우리만의 청춘에 저장되었다. 이 청춘이 이렇게 쌓이다 보면 어느 순간 앨범이 되고 그것이 모여 결국 우리를 만드는 것이 아닐까. 나는 승유에게서는 사랑을 배웠지만, 승유로 인해 생긴 친구들에게서 우정이라는 것도 배웠다. 이번 한 해는 백승유라는 사람을 만나, 가장 중요한 두가지를 배우게 되는 정말 꿈만 같은 해이다.

4

설아가 집으로 가고 나는 다시 짐을 챙겨 학교로 갔다. 교실 문이 잠겨 있었기에 나는 교무실에서 열쇠를 가지고 들어갔다. 친구들이 한 명씩 들어오기 시작했다. 그러고 1시간이 지난 뒤, 종이 칠 때 설아가 들어왔다. 설아의 얼굴에는 먹구름이 가득 끼어 있었다. 묻고 싶은 것이 많이 있었지만 아까 도서관에서 있었던 일 때문인다, 말을 건네기가 머뭇거려졌다. 그래서 나는 조용히 책이나 읽으면서 있기로 했다. 그런 다짐을 함과 동시에 서경훈과 황선우가 내 자리로 왔다.

"어이 오늘 표정이 왜 그러신가. 여친이랑 싸웠냐?"

"그런거 아니야."

"에헤이 숨기지 말고 말해봐."

"아니야. 이건 설아 개인사야."

"오오 여친 일은 맞나 보네. 뭐, 너가 그렇게 거절하면 못 물어보지. 에이, 재미없어."

"미안...."

"뭘 이런거 가지고 미안해해. 우린 착하니까 괜찮아. 안 그래 선우야?"

"당연하지~ 백승유 너 나 같은 친구 둔거 감사하게 생각해라."

"알았어"

나는 키득거리며 답했다.

***

학교 수업이 끝나고 도서관에서 있었던 일이다. 어색

한 기류를 깨고 설아가 나에게 비밀을 알려주었다.

"나 죽음을 감지할 수 있다?"

사실 믿기 어려웠지만 믿어야 했다. 설아의 이 별 새기는 일도 그렇고 죽음을 감지하는 일도 그렇고 도대체 설아는 이 일과 무슨 관련이 있는 걸까? 설아를 만날 때마다 궁금증이 들었다.

"그럼 내가 죽기 전에 너가 가장 먼저 알아보겠네?"

"그때까지 우리가 인연을 유지할 수 있을까?"

"내가 맨날 연락하고 데리고 다녀야지."

"아아 뭔데"

이런 모습을 볼 때면 정말 평생 보고싶다 라는 생각밖에 들지 않는다. 와, 내가 생각해봐도 소름 끼칠 정도로 윤설아를 좋아하는 것 같다. 이 인연은 정말로, 영원히 이어질 수도 있겠다는 생각이 든다.

해가 어둑어둑 지려고 해서 바로 집으로 돌아왔다. 집은 여전히 싸늘하긴 했지만 내 기분이 너무 좋아서 그런지는 몰라도 전혀 그렇게 느껴지지 않았다. 침대에서 뒹굴뒹굴 놀다가 갑자기 문자를 보내고 싶어졌다. 지우고 쓰고를 반복하다가 첫 메시지를 보냈다.

[똑똑 윤설아씨 맞으신가요오?]

설아에게서 곧 답장이 왔다.

[뭐야ㅋㅋㅋㅋㅋㅋㅋ 갑자기 문자 뭔데ㅋㅋㅋㅋㅋㅋ]

[그냥.. 심심하자나?!?!]

[너 시험공부 안하냐?]

[어허 내 앞에서 시험 얘기 금지야]

[칫 공부 잘하는 사람이 그렇게 얘기하니까 좀 거리감 생긴다?!?]

[지도 잘하면서]

[너보단 못해]

[암튼 연락한 이유는]

[엉엉]

[옷 따뜻하게 입으라구. 이제 12월이니까 추워지는 것 같아서.]

[헐 벌써 겨울이라니... 말도 안 돼...]

[ㅋㅋㅋㅋㅋ우리 만난지 나름 2달 15일차야. 미쳤지]

[와아 대박이다. 시간이 벌써 이렇게 지났나]

[히힣 남은 고등학교 생활도 잘 보내 보자고!!!]

[알았엉!!]

[잘자. 지금 2시야]

[네에에엡]

설아와의 생각보다 길었던 문자를 마치고 깊은 잠에 빠졌다. 다음날 아침에는 비몽사몽한 모습으로 씻고 학교에 갔다. 학교에서 경훈이가 나에게 문득 이런 말을 했다.

"너 윤설아 남친이라고 했잖아."

"응, 왜?"

"그럼 윤설아 옆에 있는 저 숏 컷 애도 알아?"

"엄.... 재가 그 주혜원이라고 했나? 잘은 몰라."

"쟤 내 사촌이야."

"......어?"

"놀랐지? 하긴...사촌이 같은 학교를 다니는 건 흔한 일이 아니니까...."

"근데 나한테 왜 말해주는 거야?"

"쟤네랑 얽힐 일이 많을 것 같아서. 주혜원이 얘기해 주더라. 유지원이 황선우 좋아한다고."

"그러고 보니 좀 연결된 게 많긴 하네."

"어? 너 알고 있었어?"

"뭐?"

"유지원이 황선우 좋아하는 거."

"응."

"뭐야, 나만 모르고 있었어?"

"풉"

"이런 맛으로 사는거지."

"아 뭐야 짜증나."

"짜증내진 말고. 걍 농담농담."

"그래....... 이 천사 같은 서경훈님이 넘어가주지."

재치 있는 경훈이의 말에 나도 모르게 웃음이 나왔다. 그러고 며칠이 지난 후에 정말 경훈이의 말처럼 설아네 4총사와 내가 있는 무리와 친해지게 되었다. 시험 끝난 날은 물론이고 학교 개교기념일 같은 휴일에도 자주 놀러 다닐 만큼 친해졌다. 7명 사이에서 피어나는 웃음꽃은 우리의 행복으로 활짝 피었다.

만약 이 친구들이 없었으면 난 어땠을까? 지금쯤 혼자 외롭게 책을 읽으면서 찐따같이 무존재감으로 지내고 있지 않을까. 사실 내 삶은 전학 오기 전과 후로 나뉜다. 전학 오기 전, 그 삶은 재앙과 같았다. 학교에서는 친구들의 입에서 나오는 온갖 놀림과 조롱을 견뎌야 했고 집에서는 아버지의 폭언에 귀를 막고 있었어야 했다. 매일매일이 나에겐 전쟁이었다. 그때 내 곁에 나를 위해주는 사람 한명이라도 있었으면 내 삶은 달라졌을까? 설아 같은 친구 한 명만 있었어도 내 상처가 조금은 깊게 파였을까.

설아를 만나 상처를 조금씩 치유해 나가면서 문득 친구란 무엇일지 생각해보았다. 친구라는 존재는 내 삶을 뒤바꿔놓을 수 있는 유일한 사람이라는 생각이 든다. 유일한 나의 또래만이 나를 이해해주고 공감해줄 수 있다는 사실을 슬프게도 고2때 알았다.

설아와 나는 거의 뇌를 공유한다고 해도 과언이 아닐 정도로 서로에 대해 잘 알고 있기 때문에 친구라는 영역을 넘어서 사랑이라는 영역까지 오게 된 것이 아닌가라는 생각을 한 번쯤 해본다.

사실 경훈이와 선우와 친해지게 된 것도 설아 덕분이다. 의도치 않았지만 퍼져버린 소문 때문에 나의 존재를 어느정도 알리게 되었으니까. 주위에서는 내가 설아에게 이미 많은 것을 해주고 있다고 하지만 내 기준에서는 아직도 부족하다. 내가 받은 것이 너무 많기 때문에 그만큼 더 많이 보답해주고 싶은 마음뿐이다. 이런게 사랑인가? 사랑이라는 것은 정의 내리기 힘들지만 그래도 어느정도 느낌이라도 알게 되었으니 그 자체만으로 감사하다.

내 삶의 고2는 윤설아라는 사람으로 더욱 화사해지고 화려해지고 완벽해진 새로운 인생으로 재탄생했다.

제5장. 응급실

1

"아 안 먹는다고"

아침부터 채아가 아침밥을 안 먹겠다고 찡찡거렸다.

"아 한입만 먹어. 아직 시간 남았잖아."

"나 여기서 더 늦게 나가면 지각이라고."

평소보다 아침에 늦게 일어나 지각 위기에 처한 상황이다. 평소에는 말을 잘 들어도 이런 상황에서는 서로 화를 내기 마련이다.

"아 진짜 언니 때문에 늦었잖아!"

쾅.

채아가 문을 쾅 닫고 나갔다. 나도 어서 서둘러 준비를 하고 나갈 채비를 했다.

오늘 나눈 대화가 채아와 나눈 마지막 대화일줄은 상상도 못했다.

-띠리링-

"여보세요?"

"안녕하세요 저 채아 돌봄선생님입니다. 채아가 지금 응급실로 이송되어서요. 지금 빨리 B병원으로 와주세요."

"예?"

나는 위에 겉옷도 걸치지 않은채 밖으로 뛰쳐나갔다. 수업이 끝나고 도서관에 있었던 터라 가방은 내팽겨치고 핸드폰과 지갑만 든 채로 가쁜 숨을 몰아쉬며 달려갔다. 겨울 같은 가을의 칼바람이 폐로 물밀듯이 밀려왔다. 그 속에는 온통 불안한 마음으로 가득차있었다. 아침에 채아 가슴에 있던 붉은 빛을 무시하지 말았어야 했어. 잘못본 줄 알고 애써 넘어가려고 했는데 그러면 안되는 거였어. 제발..제발..

10분 뒤에 도착한 응급실에서 채아는 서서히 숨이 멎어가는 중이었다.

"채아야. 언니가 진짜 미안해. 오늘 아침에도 그렇게 못나게 말해서 미안해. 언니가 우리 채아 예쁜 별로 새겨줄게. 사랑해. 그리고 고마워."

-삐-

"8월 30일 18시 48분. 윤채아 환자분. 사망하셨습니다."

오늘따라 냉철하게 느껴지는 의사의 말이었다. 그 말을 듣고는 주저앉아 흐느꼈다. 그 누구도 나를 말리는 사람은 없었다. 얼마쯤 울었을까. 하늘이 어둑어둑 해지는 중이었다. 뒤를 돌아봤을 때 엄마는 공허한 표정으로 우두커니 서있었다. 우리는 눈으로 소리 없는 대화를 나누고 조용히 장례식을 준비했다.

그날 밤, 나는 다시 도서관으로 돌아왔다. 9시가 훌쩍 넘었는데 승유가 그 시간까지 기다리고 있었다.

"명부 봤어."

"..."

"괜찮아?"

"...아니"

그는 말없이 나를 토닥여주었다. 그때 아까 병원에서 다 못 울었던 눈물을 모두 쏟아내었다. 묵묵히 기다려주는 그의 태도가 나를 더 감동시켰다. 좀 진정이 되고 나서 명부를 봤다. 병원에서 의사가 병명을 뭐라 얘기를 해줄 때 제대로 못 들어서 그런지 명부에 적힌 사망 원인이 새롭게 느껴졌다. 내 예상과는 다르게 사망 원인은

폐렴이었다.

단순 감기라고 생각하고 넘어갔던 그 기침이 알고 보니 폐렴이었다는 사실이 나 자신을 정말 죽여버리고 싶

을 만큼 한심하게 만들었다. 얼마나 아팠을까. 내가 병원 한번 데려갔었으면 일찍 발견하지 않았을까. 그럼 죽지 않았으려나? 오늘 아침에 보인 그 불빛도 무시하지 않았더라면 지금 현재를 바꿀 수도 있지 않았을까. 온갖 이유들이 다 나를 향해 휬는 것 같고 모든 것이 다 내 탓같이 느껴졌다.

넓디 넓은 공간에 나 혼자 덩그러니 남겨진 것 같은 공허함 속에서 피어나는 죄책감은 어떻게 막을 수 없었다.

"너의 잘못 아니야."

덩굴처럼 얽힌 죄책감들을 모두 끊어내는 승유의 한마디였다.

이때 나는 무슨 표정을 하고 있었을까. 남들에게는 사소하게 들릴 수 있는 이 한마디가 지금의 나에게는 큰 힘이 되었던 것 같다. 누군가가 구멍 속으로 들어가고 있을 때 꺼내주는 일은 아무나 할 수 있는 것이 아니다. 이런 사람과 같이 있다는 사실이 정말 다행이었다.

나는 울음을 그치고 명부를 들고 채아라는 별을 만들기 시작했다. 그 명부 속 사연에는 내가 몰랐던 일들도 많이 있었다. 놀라움과 감동과 슬픔을 동시에 느끼는 매우 신기한 경험을 했다. 이왕이면 북극성처럼 밝은 별로 만들어주기 위해 온갖 힘을 썼다.

도서관에 내팽개쳐두었던 가방을 다시 들고 집으로 돌아가는 길이었다. 원래는 둘이서 걸었던 이 길을 혼자 걸으니 뭔가 허전했다. 집에 도착해서는 고요한 정적만이 흐르는 이 집이 어색하게 느껴졌다. 뭔가 허전한 이 느낌이 이상하고 다신 느끼기 싫은 감정으로 다가왔다. 하지만 이것이 현실이라는 사실을 깨닫고는 씁쓸한 미소만 지어보았다. 엄마는 나에게 조용히 장례식 장소와 안내장을 주고 방으로 들어가셨다. 연락을 뒤늦게 받고 딸의 죽음도 잘 보지 못한 엄마의 심정은 어떨까. 그걸 미처 생각하지 못한 내가 또 다시 한심스러웠다.

안내장을 읽으며 울고 또 울었다. 늦은 시간이었지만 선생님께도 미리 문자를 남기고 친척들에게도 문자로 알렸다. 그러고는 울다 지쳐 그 자리에서 바로 잠들었다.

장례식은 형편이 안 좋은 우리집 때문에 초라하긴 했지만 있을 건 다 있었다. 친척들이 조용히 있다가 내 등을 토닥여 주시고 나가는 것을 반복해서 보다 보니 점점 우울해지는 것 같았다. 그 참에 승유가 들어왔다.

"괜찮아?"

"괜찮다고 말해도 되는 건가."

"그래도 되지. 채아도 너가 이렇게 힘들어하는 모습을 보고 싶어하진 않을거야."

"그런가? 그럼 나랑 좀 놀아주라. 나 우울해서 못살겠다."

"지금 사람 별로 없으니 잠깐 나올래?"

"옷만 갈아입고 나올게."

그렇게 승유가 나를 끌고 간 곳은 호수 앞이었다.

"여긴 어디야?"

"나만 알고 있는 장소."

"되게 이쁘다."

"마치 너 같아."

"뭐야. 너 지금 나 웃기려고 그러는거지."

"아닌데..."

호수에 달빛이 비춰졌다. 달 주위에 있는 무수히 많은 별들이 나를 마치 위로해주는 것 같았다.

"뭔가 여기 마음이 치유되는 것 같지 않아?"

역시 승유는 나와 생각이 비슷했다.

"그러게. 근데 뭐랄까...오히려 기분이 더 안 좋아지는 거 같기도."

"왜?"

"난 이렇게 슬픈데 저 호수는 너무 아름답잖아. 뭔가 나 놀리는 것 같아."

"..."

"내가 너무 이상한 말 했나?"

"아니야. 네 말도 맞는 것 같아서."

이때 내 머릿속에 무슨 생각이 들어있었을까. 사실 솔직히 말하면 지금은 이때 기억이 아주 희미하게 남아있다. 너무 정신없이 있었던 탓이었을까. 지금 내 기억속에 남아있는 것은 승유도, 저 호수도 아닌

저 때의 감정뿐이었다.

내 마음속으로는 편안하다고 믿고 싶어하는데 현실은 그렇지 못한다는 이질감이 상당했다. 분명 나는 치유를 받고 싶어했고, 그래서 승유를 따라갔는데 채아의 죽음으로 인한 나의 죄책감은 그 치료만으로는 아물지 않을 상처였나보다.

다음날, 학교를 가는 나의 발걸음은 떼어지지 않았다. 학교를 가기 싫었다기 보다는 이 변화를 나는 무서워했다. 그래서 나는 방에 처박혀 며칠동안 나오지 않았다.

친구들의 문자, 전화가 계속해서 왔지만 나는 답장도, 확인조차 하지 않았다. 아마 나를 제외한 대부분의 사람들은 내가 우울증이라고 단언했을 것이다. 한 일주일쯤 지났을까, 점점 연락이 끊기기 시작했다. 나를 이해해주는 것 같았던 엄마도 이제는 나를 한심하게 생각하고 있었다.

딱 한 명만 빼고.

연락이 유일하게 끊기지 않은 사람.

지원이도, 가은이도, 혜원이도 아닌 승유였다.

승유의 "괜찮아" 라는 문자를 봤을 때 괜히 미안해졌다. 내가 너무 나만 생각했나. 승유가 잠깐 나와보라는 문자를 보냈을 때 사실 나가기 싫었지만 그래도 끝까지 기다려준 사람인데. 이번에 나가지 않으면 정말 인연이 끊어질 수도 있겠다 라는 생각에 어쩔 수 없이 나갔다.

"오랜만이다?"

일주일 밖에 안 지났는데 오랜만이라니. 괜히 헛웃음이 다 나왔다.

"그러게. 나 왜 나와보라고 한거야?"

"그냥. 너무 방 안에만 있으면 우울증 생긴대. 이렇게 밖에 나와서 바깥공기도 좀 쐬고 머리 순환도 시켜야지."

"..."

"왜? 실망했나 봐?"

"...아니야..."

"실망할 필요 없어. 아직 시작도 안 했거든."

"응?"

"일로 와봐"

승유가 내 손목을 잡고 뛰어간 곳은 다름 아닌 학교였다.

"엥? 갑자기 학교에는 왜..."

-펑

"생일 축하합니다~ 생일 축하합니다~ 사랑하는 설아의~ 생일 축하 합니다 꺄아아아"

"야 너는 어떻게 연락도 안 받냐."

"아 진짜 윤설아 나빴어. 사람 걱정이나 시키고."

"아무리 슬퍼도 너 생일은 챙겨야지 이 짜식아."

케이크를 들고 있는 친구들을 보자 울음이 터져 나왔다. 난 그대로 주저 앉았다. 나조차 잊고 있던 생일을 축하받는 이 기분을 아는 사람이 얼마나 될까. 처음으로 형용할 수 없는 감정을 느꼈다.

"야 왜 울어..."

"얘들아 미안해...내가 미안해. 내가 너무 나만 생각했어. 너희들이 나에게 어떤 존재인데. 내가 잠시 잊고 지냈어."

눈물에 적셔진 이 말들이 친구들에게는 어떻게 들렸을지는 모르겠지만 내가 전한 그 말들은 모두 진심에서 우러나오는 말이었다. 가장 가까이 있는 소중한 것이 더 잊기 쉽다는 말이 무엇인지 깨닫는 순간이었다. 내가 기뻐해도 되는 건지 의심이 되는 순간에도 오히려 나를 격려해주는 사람들이 지금 내 앞에 있다는 것 자체만으로 힘이 되고 내 삶의 원동력이 되었다.

승유의 주도로 이루어진 서프라이즈 파티는 내 끊임없는 눈물과 누군가의 눈물 찔끔과 또 다른 누군가의 박장대소로 마무리가 되었다. 웃어야 할지 울어야 할지 모르겠는 이상한 하루를 보내고 나서 나는 다시 학교에 등교했다. 오늘도 수행평가는 항상 많았고, 밀린 프린트는 쌓여있고, 도서관에는 명부도 쌓여있었다.

바쁜 이 삶이 점점 끝나가고 있다.

왠진 모르게 불길하다.

2

오늘은 그저 수업이 너무 지루했고 가만히 늘어지고 싶었던 평범하디 평범한 하루였다.

그런 하루일 줄 알았다.

설아가 어떤 전화를 받더니 전화를 받았던 휴대폰만 들고 도서관 밖으로 뛰쳐나갔다. 왜인지는 모르겠지만 그닥 좋은 이유이진 않을 것 같았다. 그때 보고 싶지 않았던 명부가 도착했다. 그 명부에 적혀 있는 이름은 너무나도 익숙했다. 명부에서 보인 그 이름은 내 모든 사고를 정지시켰다. 지금 당장 설아를 뒤따라갈까 생각도 해봤지만 그러기에는 너무 늦었다는 생각이 들었다. 그 명부를 부여잡으며 하염없이 기다리는 수밖에 없었다.

명부 속에 있었던 고인의 생애는 너무 아름다웠다. 그 아름다움 속에 나도 들어있었다. 그래서 더 눈물이 났다. 지금쯤 설아는 채아의 죽음을 맞이했을까. 괜한 호기심에 나 자신에게 화가 났다.

명부가 온지 몇시간이 지났을까. 학교 밖은 해가 어둑어둑 자고 있고 그 사이로 달빛이 조금씩 자취를 드러내기 시작했다. 그리고 몇 분 뒤, 설아가 세상을 다 잃은 듯한 모습으로 터덜터덜 들어왔다.

"명부 봤어."

"..."

설아는 말은 하지 않았지만 그 감정이 나에게 고스란히 전해졌다. 내가 지금 위로를 해준다고 해도 별 효과가 없을 것 같았지만, 그래도 조금이나마 도움이 되었으면 하는 마음으로 말을 건넸다.

"괜찮아?"

'아니' 라는 대답을 하는 너를 보고 나도 눈물이 나려고 했다. 근데 괜히 약해 보이기 싫은 마음에 나는 그저 참고 위로해주고 공감해주는 그런 모습만 보였다.

사실 나도 많이 힘든데.

그래도 나보단 훨씬 더 아플테니까. 나보다 더 힘들테니까. 애써 마음을 추스리고 우리 둘은 각자의 집으로 떠났다. 주위에서 봤을 때는 그저 여자친구의 동생인데 뭘 그렇게 슬퍼하나 싶겠지만 나와의 추억이 있는지라 가슴이 벅차오르는 것을 막을 순 없었다.

오늘의 일기장은 잿빛으로 가득 찼다. 이런 일기도 오랜만이다. 죄책감이라기 보다는 그저 안타까움이겠지만 그 속에는 여러 복합적인 감정이 들어있었다. 말로는 표현할 수 없는 감정을 글로 표현해내는 것도 참 어렵다는 생각도 들었다.

그렇게 며칠이 지나도 설아는 학교에 나오지 않았다. 처음 3일은 그래도 모두가 이해해주는 분위기였지만 그 후로 1주일이 더 지났을 시점에서는 시선이 약간씩 변하기 시작했다.

"윤설아 왜 학교 안 나오냐."

"몰라. 너무 엄살 떠는거 아님?"

"쟤 왜저래."

이런 얘기를 들을 때면 왜 내 마음이 더 후벼 파이는 것 같을까. 나는 끝까지 연락을 끊지 않았다. 안 읽음 표시는 지워지지 않았지만 그래도 어느정도 희망을 가지는 것도 나쁘지 않았다.

윤설아를 뺀 6명의 아이들은 곧 다가오는 설아의 생일

에 다들 어떻게 해야 할지 안절부절 미치기 직전이었다. 거기서 처음 아이디어를 낸 것은 경훈이었다.

"윤설아 생일 어떡하냐."

"걍 넘어가?"

"그건 좀 그렇지 않음? 그래도 서로 생일은 챙겨 주기로 약속한 사이인데..."

"그러면 승유야. 너가 윤설아 좀 데리고 나와 바."

"응?"

"파티 준비하자고. 넌 주인공 섭외 역할이야."

"뭐래..."

"어이 거기 아가씨들. 너희는 케이크랑 장식품 좀 사라. 우리는 풍선이나 불고 있을 테니까."

"그래!"

바빼 움직이는 5명 사이에서 나는 갑자기 부담되기 시작했다. 윤설아를 어떻게 데려올 수 있을까. 메시지 미리보기라도 보겠지 라는 심정으로 잠깐 나와보라는 메세지를 보냈다. 근데 내 간절함이 통한 덕분이었을까, 몇 분 뒤에 '응' 이라는 답장과 함께 밖으로 나왔다. 바람도 쐴 겸 나와보라고 했다는 나의 말에 약간은 실망한 표정을 지었던 너를 보며 나는 빙긋이 웃었다.

설아를 이끌고 학교에 갔을 때에는 사실 내가 생각했던 것 보다 훨씬 많이 꾸며져 있었다. 나도 이렇게 감탄할 정도인데 설아는 그때 어떤 감정이었을까. 설아는 그 자리에서 주저 앉아 울었고 우리는 다같이 진심으로 마음을 건넸다. 생일파티가 끝난 뒤에는 같이 케이크를 나누어 먹었고 물론이지만 청소도 같이 했다.

그 다음날 부터는 우리반에 빈 자리 없이 꽉 채워져 있기 시작했다. 왠지 모르게 허전했던 마음도 든든하게 채워진 느낌이다. 깔깔거리며 웃는 친구들 사이에서 우리는 서로를 바라보며 슬며시 미소를 지었다. 입꼬리만 올리려고 했는데 어느새 눈도 반달모양이 되어있었다. 역시, 행복은 우리 곁을 떠나지 않았어.

때로는 시련이 우리가 삶을 이겨내기 위한 버팀목이

되어 주기도 한다. 서로가 서로의 힘이 되어주는 이 관계를 난 영원해 이어 나가고 싶다. 설아는 어떨지 몰라도 나에게는 이러한 추억들이 사실은 가슴 아픈 일이긴 하지만 내 성장의 매개체가 되어주었다. 서로가 서로의 힘이 되어주고 희망이 되어주는 이 시간이 더이상 흘러가지 않았으면 하는 마음이다.

제6장. 크리스마스

1

-삐비빅 삐비빅-

오늘도 알람 소리와 함께 잠에서 깨어났다. 12월 25일, 어렸을 때도 지금도 항상 설레는 날이다. 예전과 달라진 점이 있다면, 자고 일어나면 항상 산타 양말에 간식이 있었는데 지금은 없다는 거?

엄마는 크리스마스 연휴 장사로 일찍 나가시고 집에는 나만 있었다. 책상 주변이 기말고사 때 풀었던 문제집과 프린트로 널브러져 있어 정말 지저분했다. 크리스마스의 연휴를 맞아 오랜만에 돼지우리 같은 내 방을 청소

하기로 결심했다. 근데 혼자 하기에는 너무 지루하니까 누구 한 명을 부르고 싶었다. 처음에는 승유를 부를까 생각도 해봤지만 속옷도 여기저기 놓여있는 내 방을 차마 남자친구에게 보여줄 수는 없어 가은이를 부르기로 했다.

[가은씌]

[왜]

[우리 집에 놀러오지 않으실?]

[갑자기? 왜?]

[방청소 하려는데 혼자하긴 좀 심심해서]

[오키! 지금 바로 간다!]

[조하]

강아지가 폴짝 뛰고 있는 이모티콘을 보내고 나는 옷을 갈아입었다. 아무래도 친구가 오는데 잠옷만 입고 있긴 좀 그러니까?

집이 바로 건너편이라 그런지 몇 분 만에 바로 초인종

소리가 들렸다.

"꺄아악 한가은이다!!!"

"윤설아 뭐냐"

"히히힝 너무 좋아서"

"윤설아의 많고 많은 친구들 중에 내가 선택되다니. 성은이 망극하옵니다 전하."

"뭐래. 나 찐따 새끼인데"

"쓰읍 어디서 뻥을 치고 있어"

"뻥 아니거든!!"

"야 빨리 방 청소나 해. 방이 꼴이 이게 뭐냐."

"에이 시험 끝난지 얼마 안 돼서 그렇지 뭐..."

"2주가 지났는데 그게 얼마 안 된 거구나..."

"하하... 빨리 청소하자"

"그래"

가은이와 노닥거리며 쓰레기 버리는 것부터 시작해서 문제집 정리하고 안 쓰는 프린트 모아두고 필기구들도 싹 정리했다. 깨끗해진 방을 보며 우리는 하이파이브를 했다. 거실 바닥에 누워서 멍하니 천장만 바라보고 있다가 가은이가 그 정적을 깼다.

"야 윤설아 근데 너 데이트 안 가냐? 오늘 크리스마스 잖아."

"딱히 약속은 안 잡았는데. 승유한테 문자 보내 볼까?

"그러든가."

[승유야]

[응?]

[오늘 크리스마스자나]

[마자마자]

[우리 데이트 할래?]

너무 도발적으로 보냈나. 몇 분동안 답장이 없더니 짧은 문자가 돌아왔다.

[좋아]

크리스마스에 남친과 데이트는 절대 빠질 수 없는 거의 필수 코스와도 같은 일이었다. 나는 무엇을 입을까 고민하다가 아이보리색 니트와 청바지에 코트를 걸치고 나왔다. 아, 가은이는 잘 즐기고 오라며 먼저 빠져주었다. 우리는 학교에서 만나기로 했고 학교로 향했을 때는 아직 약속 시간이 되지 않았지만 승유는 미리 도착해 있었다.

"승유 하이!"

"어? 일찍 왔네."

"너야말로 너무 일찍 온 거 아니야? 우리 어디 갈까?"

"음... 일단 버스타고 시내로 나가자."

"그래! 뭐... 버스에서 찾아보면 되겠지"

"역시. 우리는 너무 무계획형 이야"

"오히려 그게 마음이 더 편하지"

"맞아"

곧이어 버스가 도착했고 우리는 이번에 새로 개봉한 로맨스 영화를 보기로 했다. 일본 영화였는데 인기가 별로 없어서 기대 하나도 안 했다. 근데 생각보다 재밌어서 실망스러운 시간이 되지는 않았다. 영화를 볼 때 팝콘에 손을 댈 때마다 승유와 손이 맞닿아 얼굴이 발그레해지는 것이 느껴졌다. 가슴이 튀어나올 듯이 쿵쾅거리고 결국은 얼굴이 시뻘게진 채로 영화 관람을 끝냈다.

"너 얼굴이 왜 이렇게 빨게?"

"그냥...아무것도 아니야."

"너 설렜구나. 나도 그랬거든."

얘는 뭐지. 내 마음 바로 알아채고 고백 아닌 고백을 해버리는 얘는 뭐지. 뭔가 당황스러우면서도 내심 기분은 좋았다.

사실 팝콘 때문에 배가 고프지는 않았지만 조금 지나면 바로 허기질 것 같아서 근처에 있는 파스타 집에서 점심을 먹었다. 보통 드라마에서 보면 와인이랑 스테이크를 먹던데... 고딩 커플에게는 상상도 못할 일이었다.

그저 근처에 있는 소품 샵에서 작은 키링 한 쌍을 사고 손잡고 거리를 돌아다니는 것이 다였다. 하지만 그것 마저도 설레고 재미있다는 것이 이 연애의 장점 아닐까.

"승유야"

"응?"

"나랑 사귀어 줘서 고마워"

"...나도"

지금 생각해보면 좀 오글거린다. 팝송이 흘러나오는 거리에서 남녀가 단둘이 손을 잡고 서로 사랑한다고 하며 걸어가는 이 상황이 믿기지 않았다. 영화에서나 보던 일, 예전에 내가 바라보며 부러워했던 일을 내가 지금 하고 있다는 것이 참 놀랍다.

"나 지금 너무 행복해. 이 시간이 그만 흘러갔으면 좋겠어. 평생 너랑 함께하고 싶어."

"나도. 너와 함께 라면 난 무엇이든지 할 수 있어."

"오올 멋있는데 백승유?"

"그래. 방금은 좀 멋있었다."

"쓰읍 너 원래 이렇지 않았었던 것 같은데. 너 나 닮아 가냐?"

"뭐래. 나 원래 이렇거든? 예전에는 그냥 낯 가렸었던 거라고."

"아아 그렇구나~"

"뭐지. 왜 우리의 대화는 이렇게 마무리되는 거 같지?"

"그니까"

키득거리고 웃으며 대화가 끝났다. 정말 이상하게도 우리의 대화는 꼭 내가 백승유를 놀리면서 끝난다. 이게 참 이상하면서도 웃기고 가끔은 신기하기도 하다.

일반적인 연애라고 하기에는 우리 둘 사이가 너무 친근하다.

이게 우리만의 특별한 점이라고 나는 생각한다. 오늘은 우리가 사귀기 시작한지 대략 120일이 되는 날이다. 200일이 되더라도, 300일이 되더라도, 그러다 1주년이 되더라도 우리의 관계가 유지되었으면 하는 바람이다.

"우리 내년 크리스마스에도 여기 똑같이 오자."

"좋아."

승유와 나는 시내 나들이를 마치고 집 근처로 돌아와 걷다 보니 어느새 학교에 도착해 있었다. 도서관에 있는 트리 앞에서 간단히 사진을 찍고 우리의 추억으로 남겨 두었다. 사실 의도치 않은 갑작스러운 데이트였지만 그 누구보다 열심히 즐겼고, 서로에 대한 애정도 쌓아가고 그 누구보다 행복했다. 앞으로 절대 잊지 못할 나의 크리스마스였다.

2

상쾌한 기분으로 아침에 일어났을 때 시계는 11시 정도를 가리키고 있었다. 그리고 방에 달려있는 달력을 봤을 때 나는 빨갛게 크리스마스라고 칠해져 있는 것을 발견할 수 있었다. 흰 눈이 내리는 창밖에서 가족들이, 커플들이 손을 잡고 걸어가는 모습을 보며 나는 윤설아를 생각했다. 가족이 아니라 여친이 먼저 생각나다니. 내가 생각해도 어이가 없었다. 잠깐 만나자고 할까 고민을 수도 없이 하고 있었을 때 설아에게서 문자가 왔다.

[승유야]

순간 놀란 마음을 추스리고 답장을 보냈다.

[응?]

[오늘 크리스마스자나]

[마자마자]

[우리 데이트 할래?]

타자를 치려던 손이 멈칫 했다. 얘는 정말 어떻게 저렇게 내 생각을 바로 알아차리지. 내 머리와 설아 머리가 연결 되어있는 것 같은 느낌이 들 때마다 나는 온몸에 소름이 끼쳤다.

[좋아]

나는 긍정의 답장을 보내고 씻고 바로 준비를 했다. 처음에는 멋있게 입고 갈까 고민을 했지만 아무래도 바들바들 떠는 것보다 따뜻하게 입고 가는게 낫겠다 싶어 흰 티에 맨투맨을 입고 거기에 코트를 걸쳤다. SNS에 남친 룩도 여러 개 검색해봤지만 나에게 어울릴만한 옷은 별로 없었다.

시간이 아직 한참이나 남았지만 나는 먼저 학교로 향했다. 크리스마스에는 뭘 해야 하나 곰민하고 있던 찰나였다. 아직 약속시간이 다 되지 않았지만 설아도 곧 이어 도착했다.

"승유 하이!"

라고 말하며 웃던 너의 모습이 참으로 사랑스러웠다. 그러나 나는 너무 무뚝뚝하게 답변했고 그런 상황을 또 너는 밝게 만들어주었다.

어딜 가야 하나 고민하다가 결국은 버스를 타고 결정하기로 했다. 인터넷을 뒤져 고심 끝에 정한 것은 그저 평범한 영화 보기였다. 사실 나도 설아도 그 영화를 제대로 보지는 못했을 것이다. 팝콘통 안에서 손이 닿을 때마다 서로 부끄러워 어쩔 줄 몰라 했다. 이 상황이 그저 웃겼고 토마토처럼 시뻘게진 얼굴을 보며 우리는 피식 웃었다.

영화를 보고 근처에 있는 파스타집에 가서 간단히 저녁을 해결했다. 다른 날에 먹었으면 평범하다고 생각하고 넘어갔을지도 모르지만 오늘만큼은 더 맛있게 느껴지는 저녁식사였다.

"날씨 좋다."

설아가 말했다. 그리고 나는 그에 이어

"너랑 만나는 날에는 이상하게 날씨가 좋더라."

라며 답을 했다.

"내가 날씨요정인가? 너 나한테 고마워해라"

고마워하라니. 너무 귀여워서 웃음이 다 났다.

"알았어"

저 멀리서 아련하게 들리는 외국노래를 들으며 우리는

밤 산책을 했다. 우리 동네에 있었나 싶은 길들도 들어가보고 벤치에서 수다를 떨다가 가기도 했다. 그러다 도착한 학교 앞에서는 트리와 사진을 찍고 아쉽지만 헤어지기로 했다.

"사랑해."

"나도"

"우리 영원하자"

"그래"

설아와 보낸 이 세상에서 가장 아름다운 첫 크리스마스였다.

제7장. 적신호

1

"백승유다!"

책을 읽고 있던 승유는 해맑은 표정으로 나를 바라봐 주었다.

"무슨 책이야?"

"아 그냥 생기부 채우기용 책."

"헐 벌써 생기부 채워? 너 너무 부지런 한 거 아니야?"

"나 정도면 많이 늦은 건데 뭘... 그럼...넌 아직 아무것도 안 한거야?"

"당연하지!"

"너 그러다 나중에 어떻게 하려고 그래."

"뭐... 지금까지 활동한 거 다 적어 놓았으니까 마지막에 옮기기만 하면 되는 거 아니야?"

"뭐야. 그럼 거의 다 했네. 기만자."

"야 백승유 너무하다? 여친한테 기만자라니?"

"흥!"

"어어?"

처음 친구로 지낼 때와 지금이나 별 차이는 없었다. 여전히 재밌고 여전히 편안했다. 서서히 고2가 끝나가는 이 시점이 되어가니 자신의 꿈을 향해 달려가는 모습이 이곳저곳에서 보이기 시작했다. 승유도 그 중 한 명이었다.

"넌 나중에 뭐 되고 싶어?"

"음..."

잠시 정적이 흐르다가 승유가 말을 조심스레 꺼냈다.

"나 선생님 되고 싶었어."

"응? 무슨 선생님?"

"화학 선생님"

"오... 멋지다!! 난 과학을 진짜 싫어해서 공감은 못해주겠다."

"왜 굳이 과학 선생님인 줄 알아?"

"음... 너 과학 잘하니까?"

"..."

"아닌가?"

"내가 예전에 학폭 당했었다고 했잖아"

"그치?"

"그때 담임쌤이 과학쌤이었어."

승유의 얼굴에는 최근에는 잘 보지 못한 쓸쓸함이 뒤에 깔려 있었다. 그의 머릿속에는 어떤 기억이 있는지 모르겠지만 말하기 싫을 수도 있겠다 싶어 코치코치 캐묻진 않았다.

"나는 아이들에게 그런 선생님은 되고 싶지 않더라."

왠진 모르게 이 말이 내 머릿속을 맴도는 밤이었다.

***

"설아는 진로가 어떻게 돼?"

정적을 깨고 들어온 담임선생님의 질문이었다. 자신의 목표를 향해 달려가는 친구들 사이에서 나는 항상 제자리였다. 애써 피하려고 했지만 어쩔 수 없이 나는 대답해야 했다.

"아직...못 정했어요."

"아직도 못 정하면 어떡해. 지금 설아 성적으로는...나름 상

위권이라서 그래도 선택지가 많다. 메디컬 쪽 빼고 보면 모두 가능할 것 같은데, 아직 못 정했어?"

"네..."

"음... 뭐 좋아하는 것도 없어?"

지금까지 살아오면서 한 번도 이런 생각을 해본 적은 없었다. 흘러가는 대로 살다 보니 내가 지금까지 어떻게 살아왔는지 머리에 하나도 남아있지 않았다.

담임 선생님의 충고를 살짝씩 흘려보내며 상담을 마쳤다. 너무 오랫동안 대화를 나눈 탓인지 하늘에 벌써 노을이 지고 있었다. 그 가운데 역시나 승유가 기다리고 있었다.

"끝났어?"

"응응... 아 머리 아프다."

"왜, 뭐 고민 있어?"

"다짜고짜 진로부터 물어보니 아무것도 모르겠고... 내가 뭘 좋아하는지도 모르겠고... 너가 보기에 나는 어떤 것 같아?"

"음... 난 너가 요리 잘한다고 생각했는데. 할 때도 되게 행복해 보였어."

"그래?"

"너가 해줬던 떡볶이 아직도 생각나."

마치 즐거운 상상을 하듯 장난기 가득한 미소가 보였다.

"그럼 나 요리사 할까?"

"나야 좋지! 내가 단골 손님 해줄게."

"그래!"

나에 대해 탐구하는 것은 어렵지 않았다. 너무 가까이 있어서 보기 어려울 뿐, 자세히 살펴보면 생각보다 많다는 것을 너무나 손쉽게 알 수 있었다.

오늘도 하늘을 보며 걸어갔다. 어제에 비해 구름이 많은 것을 보니 왠지 모르게 불길하다. 제발 내일 아무 일도 일어나지 않길 빌면서 오늘 하루를 마무리했다.

***

"꼬끼오"

수탉의 울음소리로 맞이하는 다음 날이었다. 오늘도 어김없이 학교에서 승유를 마주쳤다. 늘 있는 일상에서 오늘은 뭔가 달랐다. 왠지 모르게 달랐다. 그 달라진 점이 무엇인지 찾아냈을 때 내 사고가 완전히 멈추었다.

승유의 가슴 쪽에 작은 불빛이 빛나고 있었다.

내가 생각하는 그것이 아니길 빌었다.

"아니야... 아닐거야"
무서웠다. 승유도 채아처럼 언젠가 나를 떠난다는 사실을 믿을 수가 없었다. 애써 외면하려고 했지만 승유를 볼 때마다 자꾸 생각나 무시할 수가 없었다. 하루 종일 집중이 되지 않았고 그 사실을 알아버린 이후에 승유에게 더 집착하게 되었다. 다른 친구와 함께 있는 승유를 괜히 내 쪽으로 데려오기도 했고 승유가 쉬고 있을 때도 다가가서 계속 말을 걸기도 했다. 그게 지속되니 승유도 화날만큼 화난 게 분명했다.

"너 진짜 요즘 왜 그래. 전에는 이정도로 간섭하지 않았잖아."

승유가 처음으로 나에게 화를 냈다. 내가 생각해도 내가 너무 심했다는 생각도 머릿속에 박혀 있던 참이었다. 순간 미안함과 두려움 때문이었을까. 나도 모르게 눈물이 볼을 타고 내려오고 있었다.
"너 왜 그래... 무슨 일 있어?"
승유가 약간은 당황한 표정으로 나를 쳐다봤다.
말할까 말까 고민하다가 툭 하고 나와버린 말,

"너 곧 죽어"

승유의 표정이 점점 어두워졌다. 그리고 나에게 다시 물었다.

"뭐라고?"

울먹거리는 목소리를 감추고 말을 하기란 쉽지 않았다. 오늘 다 말해버리자 라는 심정으로 하나하나 털어놓았다.

"너 곧 죽는다고...미안해. 너가 갑자기 떠날까 봐 두려웠어. 너가 상처받을까 봐 미리 말을 못 했어. 정말 미안해."

"아니야... 아닐 거야...내가 왜 죽어. 우리 평생 함께하기로 했잖아. 제발 그런 말 하지 마."

"미안해..."

내가 할 수 있는 말은 미안하다는 말뿐이었다. 약간 조짐이 보였을 때 미리 말해줬더라면 마음의 준비라도 했으려나. 너무 갑작스러워서 뭘 해야 할지 모른 채 우리는 방황하고 있었다.

내가 너무 늦게 말해줘서 나에게 화를 낼 줄 알았던 승유는 말없이 나를 꼭 끌어안아주었다. 그 품은 정말 따스했다.

그 따스한 품 속에서도 계속 흐르는 눈물을 도저히 멈출 수가 없었다.

"설아야. 난 널 두고 절대 떠나지 않을 거야. 만약 몸은 떠나더라도 저 밤하늘에 별이 되어 항상 네 곁에 있을 거야. 그러니까 나 되게 예쁜 별로 만들어줘야 해!"

승유의 애써 밝은척하는 목소리가 오히려 더 쓸쓸함을 불러일으켰다. 우리의 마지막은 어떻게 될까. 이렇게 끝나는 것인가.

"사랑해"
"나도"
"널 절대 잊지 않을게."
"나도"

말의 끝이 점점 흐려진다.
벅차오르는 마음을 숨기기엔 내 얼굴이 이미 눈물 범벅이 되어버린 걸.

"있잖아 승유야."

"응?"

"우리 참 애틋했다. 그렇지?"

"그러게. 너 만나고 나서 나 많이 변한 거 알아?"

"당연하지. 나도 너 만나고 나서 많이 변했다."

"생각해보니 우린 서로를 변화시킨 커플이네. 좋은 건가?"

"그럼~ 너 덕분에 내 트라우마도 극복했어. 고마워."

"나도. 너 덕분에 내 인생에 햇빛이 들어오기 시작했어. 뭐랄까... 그 전까지는 내 삶의 암흑기였거든"

"맞아 그런 것 같더라. 너 첫인상 완전 로봇 같았어."

"엥? 내가? 나 최대한 자연스럽게 얘기했는데."

"그게 숨겨지겠냐?"

승유가 전학을 오기 전 날 도서관에서부터 지금까지. 나는 그를 안 좋아했던 적이 한 번도 없었다. 우리의 시작과 마무리를 이 도서관에서 보낸다는 것이 참 웃프다. 드라마에서 보면 굉장히 고급스러운 곳에서 헤어지던데. 상상이 현실이 되기엔 우리가 너무 초라한가보다.

시곗바늘이 12시를 가리키기 시작했다. 밝아졌나 싶었던 분위기도 잔잔해졌다.

"왜 슬프냐."

"그러게. 아직 체감이 안돼."

"나도."

잠시 정적이 찾아오고 서로 쳐다보다 울다 웃다가를 반복했다. 그렇게 새벽 2시가 넘어갈 때쯤. 우리는 이제 헤어져야했다.

"내가 해줄 수 있는 말이 사랑한다는 거 밖에 없네."

"괜찮아. 나도 그렇거든."

"잠깐 밖에 나갈래?"

"그래"

새벽에 바라보는 시골 풍경은 참 아름다웠다. 눈으로 다 담기엔 부족할 정도였다.

"예쁘다."

"너가 더 예뻐."

"너도 예뻐."

우리는 서로 바라보다 눈을 지그시 감았다. 촉촉한 입술이 서로 맞닿았다. 너는 내 손을 꼭 잡았다. 눈을 떴을 때 나는 널 끌어안았다.
"우리 헤어지자."
"나 아직 준비가 안됐는데... 이 선택이 맞는 거겠지?"
"맞을 거야. 나 믿어."

아마 내 인생에서 가장 찬란했던 순간을 뽑으라고 하면 바로 이 순간을 뽑을 것이다. 앞으로도 내가 승유에게 너무 사로잡혀 있을까봐 승유는 나에게 이별 통보를 했다. 받아들여야 했지만 그러기엔 내가 너무 사랑했는 걸.

"보고싶을 거야."
"아주 나중에 나 만나러 와"
"알았어."
"잘가, 굿나잇"
"내일 보자."

분명 내일엔 승유가 없을 텐데. 내일 보자고 하니 조금 이상했다. 집으로 돌아가는 시간동안 헛웃음만 계속 나왔다. 집에 돌아와서 옷을 갈아입고 내일이 오지 않았으면 하는 마음으로 잠에 들었다.

다음 날, 반에 있는 한 빈자리가 눈에 띄었다. 그 주위에는 국화꽃이 쌓여 있었다. 친구들은 나를 안쓰럽게 쳐다보고는 복도로 모두 나갔다.

승유의 자리에 한번 앉아보았다. 금방이라도 쓰러질 것 같은 꽃들을 보며, 내가 가져온 작은 꽃 한 송이를 보며 하염없이 울었다.

"승유야 나 국화꽃 처음 사봐"

"……"

"너가 없으니까 너무 허전하잖아…"

"……"

"제발 돌아와 줘"

해피엔딩일 줄 알았던 우리의 마지막은 슬프게도 새드엔딩이었다. 나는 마치 비극의 주인공처럼 울고 또 울었다. 복도에서 누가 쳐다보든 말든 상관할 건 없었다.

학교 끝나고 있던 장례식장에 나는 참가하지 않았다. 그 시간에 나는 도서관에 갔다.

도서관에는 단 한 장의 명부가 도착해 있었다.

[18세. 남. 백승유. 오전 5시 30분. 사망. 사유: 심장마비]

나는 울지 않기로 다짐하고 또 다짐했지만 또 다시 주저앉았다. 명부를 끌어안고 숨죽여 울었다. 내 유일한 동반자이자 연인이자 내 삶의 전부였던 승유가, 이제 이 세상에 없다. 심장마비라니. 영화에나 나올 법한 일이다. 그것도 하필 왜 승유에게...

바들바들 떨리는 손으로 승유의 마지막을 장식해주었다.

세상에서 가장 크고 예쁜 별로.

2

설아에게 내가 죽는다는 소식을 들었을 때 나는 당연히 거짓말일 줄 알았다. 내 나이 18살밖에 되지 않은 창창한 나이에 죽는다는 것은 말이 안 되는게 분명했다. 장난을 쳐도 왜 이런 장난을 치나 약간 의아해하던 중이었다. 근데 믿고 싶지 않았지만 진짜였다.

설아의 표정은 장난이라고 하기엔 사뭇 진지해 보였다.

"너 곧 죽어"

정말 충격적이었던 이 말이 머릿속에서 빠져나오지 않았다. 너무 갑작스러워서, 더 말이 안 된다고 생각했었다.

설아가 말하면서 너무 울어서 내가 울 타이밍을 놓쳐버린 것만 같았다. 그래서 그런지 나는 굉장히 무덤덤한 인간이 되어버렸다. 그리고 나는 조용히 과거를 추억하고 있었다.

처음 도서관에서 설아를 만났을 때, 책 한 권을 빌려주며 말했던 첫인상은 절대 잊을 수 없다. 하필 배정된 반이 설아와 같은 반이라서 놀랐고 더 드라마틱하게 짝까지 되어서 연인까지 발전하게 된 게 참 신기하다. 그리고 내 삶의 마지막도 설아와 보낸다는 것이 설아와 나는 정말 떨어질 수 없는 운명이라는 생각이 들게 만들었다.

"있잖아 승유야."

설아가 말을 걸었다.

"응?"

"우리 참 애틋했다. 그렇지?"

보통 커플에 비해서 우리는 아주 풋풋했다. 서로 싸운 적도 별로 없고 웬만한 다른 사람들보다 죽이 척척 맞는, 그저 친구 같은 연인이었다.

"그러게. 너 만나고 나서 나 많이 변한 거 알아?"
"당연하지. 나도 너 만나고 나서 많이 변했다."
"생각해보니 우린 서로를 변화시킨 커플이네. 좋은 건가?"
"그럼~ 너 덕분에 내 트라우마도 극복했어. 고마워."
"나도. 너 덕분에 내 인생에 햇빛이 들어오기 시작했어. 뭐랄까... 그 전까지지는 내 삶이 암흑기였거든"

이사오기 전에, 학폭을 당했던 그 기억은 다시 꺼내기도 싫다. 근데 그 기억을 이제 서스름 없이 말할 수 있다는 것 자체로 큰 발전을 한 것이다.
"고마워."
이 말만 몇 번을 했는지 모르겠다. 지금 이 순간에 드는 생각이 고맙다, 사랑한다, 이런 생각밖에 없다니. 내 자신이 너무 한심하게 느껴지는 순간이랄까.

밖으로 나가자는 말에 나는 잠시의 머뭇거림도 없이 움직였다. 차가운 겨울 칼바람에 코가 시큰거렸다. 우리는 저 멀리 산을 보다가 서로를 바라보다 웃다가 울다가 첫 키스를 했다. 내 마음 한 켠의 추억으로 남아있을 오늘은 정말 뜻깊은 날이었다. 이 공간에서 벗어나기 싫을 정도로 말이다.

집으로 걸어가는 발걸음이 쉽사리 떨어지지 않았다. 한 걸음, 한 걸음 걸으면서 제발 살려달라고 이 세상에 있는 모든 신에게 빌면서 울었다. 다른 말로 표현하기 어려울 정도로 그저 길바닥에 철푸덕 앉아 울기만 했다.

어렸을 적 나는 엄마에게 난 평생 오래오래 살 것이라고 말했었다. 그래서 버킷리스트 따위도 만들어 놓지 않았다. 그걸 조금이라도 써볼 걸 그랬나, 약간은 후회가 들었다.

내 방으로 돌아와서는 가장 먼저 일기장을 펼쳤다. 오늘은 기록할 것이 많은 날이었다. 원래 한 페이지도 못 채우던 일기를 2페이지 넘게 적고 주변 정리도 좀 하고 약간은 준비를 하고 침대에 누웠다. 이대로 자기엔 너무 아쉬운 마음에 침대에서 보이는 풍경을 바라보며 그렇게 몇 시간을 버티고 앉아있었다. 그러다 너무 눈꺼풀이 무거워졌을 때, 자라고 재촉 당하는 그 시점에 눈을 감았다.

그리고 다음날, 나는 깨어나지 못했다.

꽤나 찬란했던 인생이었다.

제8장. 5년 후

"윤설아!!"

"야 한가은!!"

"헐 우리 진짜 오랜만이다."

"그니까... 우리 대학 간 이후로 거의 못봤잖아."

"흐에에엑 벌써 5년이나 지난 거야? 와 시간 진짜 빠르다."

고등학교를 졸업하고 서울 근처의 대학교에 입학한 나는 지방에서 벗어난 학교를 다니느라 고등학교 때 친구들을 자주 만나지 못했다. 가끔 단체로 영상통화를 하긴 했지만 실제로 만난 건 대학교 가고 오늘이 처음이다.

"와 윤설아 완전 서울사람 다 됐네?"

"에이 아직도 시골사람 티나"

"어? 저기 유지원이랑 주혜원이다"

"빨리 와~"

"우와아아아악"

지원이와 혜원이가 소리지르는 소리에 주변사람들의 시선이 다 우리에게 쏠렸다.

"야 조용이 해. 쪽팔려"

"아 나 윤설아 너무 보고 싶었어. 아니 너만 혼자 수도권으로 대학가면 어떡하냐고"

"그니까. 윤설아 나빴어."

"아잉...미안해!!"

"그건 그렇고. 오늘 한번 기깔나게 놀아보자!!"

"좋아!!'

대학교 와서 사귄 친구들에 비해 확실히 고등학교 친구들이 더 편한 건 사실이다. 우리의 텐션은 각자 집에 돌아갈 때까지 떨어지지 않았다.

"자 어디 가도 싶은데 있는 사람!!"

"우리 인생네컷 가자"

사진 찍는 것을 유독 좋아하던 지원이의 제안이었다.

"좋아!"

"와 우리 고딩 때는 이런 거 없었는데. 세상 참 좋아졌다. 그치?"

"야 주혜원 그렇게 말하니까 우리 무슨 완전 옛날사람 같잖아."

"그런가?"

시시콜콜한 대화를 나누다 보니 어느새 도착이다. 각자 소품을 고르고 서로 포즈 정하느라 정신이 없었다.

"자 이제 시작한다"

"야 하트 해 하트."

"아 나 브이 할 거야"

"야 하나로 통일하자"

"아 싫어"

"하 진짜 유지원 너무해"

"아아앙 내 맘대로 할 거야"

"넌 역시 여전하구나."

역시 지원이는 변한 게 없었다. 과거에나 지금이나 자기 주장 강한 건 확실했다. 정신없이 찍다 보니 이상하게 나온 사진도 있고 흔들리게 찍힌 사진도 있는데 그것도 다 추억이라며 그 사진들을 선택해 인쇄해버렸다.

내 눈이 흰자만 보이는 사진을 애들은 무척 좋아해줬다.

"윤설아 존나 웃겨"

"아 왜 사진 그거 선택했냐고"

"재밌잖아"

"칫"

"야 윤설아 삐졌다."

"그럼 점심 메뉴는 윤설아가 정하는 걸로!!"

"음... 우리 즉석 떡볶이 먹으러 가자."

"좋아!!"

"그 근처에 있던 떡볶이 가게는 사람은 별로 없었지만 정말 맛있었다. 시험 끝나고 항상 같이 먹으러 왔었는데 옛날 생각이 불쑥 난다.

"우리 이거 시험 끝나고 단골 메뉴였는데... 아 옛날 생각난다."

"그나까... 나 사실 아직도 고딩 때가 그리워."

조금은 시무룩해진 혜원이의 모습이었다. 그때 지원이가 꺼낸 제안으로 분위기가 다시 좋아졌다.

"야 남자애들도 불러와볼까?"

"헐 당연히 좋지!!"

"오키오키 바로 전화해본다."

"근데 전화가 될까?"

"아잇 기다려봐."

통화 연결음이 들리자마자 딸깍 전화를 받은 주인공은 선우였다.

"어~ 자기야 무슨 일이야?"

"아 나 지금 설아랑 혜원이랑 가은이랑 만났는데 너도 보고싶다고 해서."

우린 이 대화 속에서 익숙하지만 어색한 단어가 하나 있었다.

"야 방금 황선우 자기라고 했냐?"

"나 잘못 들은 거 아니지?"

"아니야... 내가 똑똑히 들었어. 재네 분명 뭐 있는 것 같아."

배신감 아닌 배신감으로 가득 찬 마음을 안고 통화가 끝나기만을 기다렸다.

"선우가 경훈이 데리고 온ㄷ..."

"야 너 황선우랑 사귀냐?"

셋이 어쩌다 마음이 통했는지 모두 똑같은 표정을 하고 노려보고 있었다. 주위에서 킥킥 거리며 쳐다볼 정도이니. 이게 얼마나 재밌는 상황인가.

"아니 그니까 내가 설명을 해보자면..."
"아니 그냥 맞다 아니다 로만 대답해봐"
"아 맞아!!! 됐어? 오늘 얘기하려고 했는데 그렇게 반응하면 내가 어떻게 밝히냐!!"
"와 진짜네..."
"언제부터 사귄 거야."
"졸업하고 한 달 뒤쯤?"
"진짜 오래 사귀네..."
"그래도 짝사랑 성공했네? 축하해!"
"야 어떻게 축하해주는 친구가 가은이 밖에 없냐? 서운하다 야."
"어우 축하합니다 유지원씨^^ 오래오래 잘 이루어 지길 바라요^^"
"아 윤설아 개웃기네."
혜원이의 이 한마디를 끝으로 마지막엔 박장대소하며 끝났다. 나중에 합류한 훨씬 더 멋있어진 두 남자애들을 비롯해서 조금은, 진지한 이야기도 나누었다.

"근데 요즘 너희 어떻게 지내냐?"

"설아 너부터 말해."

"나는... 대학교 졸업하기 직전에 베이킹 같은 거 소소하게 하다가 자격증도 땄어! 그래서 지금 디저트 가게 하나 차려야 하나 고민중."

"오오 야 멋지다!"

"자 그럼 다음은 주혜원!"

"난 그 크리에이터 쪽 회사에서 인턴 생활하고 있어! 생각보다 나랑 잘 맞는 것 같아서 그쪽으로 가볼까 생각 중."

이 외에도 가은이는 심리상담원 되었다고 하고, 지원이는 광고 촬영 쪽 감독의 보조로 일하며 배우고 있다고 하고 선우와 경훈이는 사진 공모전에 나가서 당선되었다고 했다. 20대에 이정도로 성공하기엔 쉽지 않지만 모두 자신의 꿈을 향해 달려가는 모습을 보며 참 보기 좋다는 생각이 들었다. 고향 얘기 나온 김에 친구들과 함께 모교를 찾아가 보기로 했다.

사람의 발길이 점점 끊기고 있는 길을 따라 가다 보니 큼지막한 간판이 있는 선정고등학교가 보였다.

"와 진짜 오랜만이다!"

"어떻게 변한 게 하나도 없냐."

신난 친구들 가운데 나는 교문 앞에 써 있는 팻말을 열어 보곤 놀라지 않을 수가 없었다.

"야 애들아... 우리 졸업하고 몇 년 뒤에 여기 폐교 되었대. 도서관은 봉사시설로만 이용되고 있나 봐."

"헐 왠지... 안에 너무 조용하다 싶었어."

"그냥 우리 여기 둘러보다가 다시 돌아갈까?"

대부분의 친구들은 경훈이의 제안을 받아들였지만 나는 여기 잠시 남겠다고 말했다. 친구들이 모두 떠나고 나는 예전의 추억을 더듬어 도서관으로 향했다.

정말 오랜만에 들어온 도서관이었다.

사서선생님께서 나에게 알려주신 비밀번호는 아직까지 바뀌지 않은 듯했다. 왼쪽에서 두번째 책장... 천천히 옆으로 밀자 안에 그대로인지는 둘째치고 먼지가 너무 많이 쌓여 기침이 절로 나왔다.

"여기 청소기 없나..."

구석에 보관되어 있는 대형 청소기를 들고 먼지랑 쓰레기

부터 이곳저곳 청소하기 시작했다. 다 쓸고 나니 이제 좀 잘 보이기 시작했다. 5년 전, 나는 승유의 죽음 이후로 이 공간에 들어간 적이 한 번도 없었다. 내가 승유의 마지막을 맡아야 한다는 사실이 믿기지 않으면서 이 현실을 부정하고 싶었고 이런 일은 다시는 겪고 싶지 않았기 때문이었을지도 모른다. 여기저기 둘러보다가 어느 한 노트 사이에 무언가가 툭 하고 떨어졌다.

"탁."

빛 바랜 오래된 공책에서 떨어진 별 모양 책갈피였다. 그리고 흐릿하게 너의 이름도 보였다.

잠시 나의 보석함에 넣어두었던 승유와의 기억을 오랜만에 꼬깃꼬깃 펼쳐보았다. 차갑고 외롭고 서러웠던 나에게 한 줄기의 빛 같았던 너, 그런 너의 흔적이 이제 점점 희미해져 가. 눈물이 벌겋게 상기된 볼을 타고 내려왔다. 외면하려고 했던 현실을 마주하니 더 보고싶고, 계속 생각나고, 그립고, 점점 복합한 감정 속으로 빨려 들어가고 있었다. 승유가 나에 대해 종종 적어둔 그 오래된 노트를 보며 나는 확신했다.

아, 나는 아직까지도 너를 사랑하고 있었구나.

너를 애써 잊으려고 했지만 아직도 너를 그리워하고 있었구나.

승유와 함께했던 순간들이 새록새록 떠올랐다. 이제는 잊지 않으려고 한다. 이 좋은 기억들을 내 마음 속의 앨범으로 만들어 매일 꺼내 보고 희로애락을 모두 나눌 것이다. 오늘부로 나는 좋았던 일들만 남겨두기로 다짐했다. 아마 승유도 내가 슬퍼하는 모습 보다는 웃고 있는 모습을 더 보고싶어 하지 않을까 하는 나의 추측도 담겨있었다.

"이 공간 그리울 거야."

승유의 물건들 몇 가지를 들고 도서관을 나왔다. 지금 내 자취방으로 돌아가기엔 너무 시간이 어두워져서 오랜만에 엄마에게 찾아가 보기로 했다.

"엄마!"

"설아니?"

"보고싶었어."

"어머, 너 오는 줄 알았으면 장이라도 봐 왔을텐데..."

"아니야 괜찮아. 그냥... 잠깐 자고 가려고."

"오늘 오랜만에 엄마랑 같이 잘까?"

"좋아."

"빨리 이불 깔자."

"응응."

시끌벅적한 도시에서 벗어나 이렇게 시골에 한 번쯤 가보는 것도 나쁘지 않다는 생각이 든다. 정신없는 내 세상에서 조금의 여유쯤은 가져도 되지 않을까.

엄마와 여러모로 얘기를 나누다가 문득 이런 말이 나왔다.

"엄마는 첫사랑 어땠어?"

"그건 갑자기 왜 궁금해."

"그냥... 전남친 생각나서."

"승유?"

"응."

"엄마 첫사랑도 그렇게 갔어. 전화가 와서 뛰어갔는데 이미 숨이 끊겼다고 그러더라고. 그때 위로 많이 해줬던 사람이 니 아빠야."

"음... 엄마는 그 사람 못 잊어?"

"처음에는 잊으려고 해봤지. 근데 회피하는 것도 마냥 좋지만은 않은 것 같더라. 너도, 피하지 말고 그냥 좋은 기억으로 남겨 놔. 그게 가장 마음 편하더라. 아, 승유는 저기 시내 조금 나가면 납골당 있으니까 내일 거기 가봐."

"응... 알았어..."

***

파릇파릇한 시골의 아침 풍경이었다. 밤에부터 긴장한 탓인지 정신이 더 바짝 드는 오늘이었다. 승유가 가장 좋아했던 하얀 라일락 꽃 한 다발을 들고 납골당으로 향했다. 새하얀 뼛가루만 남은 모습이 씁쓸했다. 조심히 꽃다발을 올려놓고 노트를 찢어 편지를 썼다.

-승유에게

승유야. 오랜만이다. 너는 아직 18살에 머물러있겠지? 그니까 지금은 나한테 누나라고 불러야 해! ㅎㅎ 그냥 농담이고 그냥 편하게 불러도 돼.

너가 간 이후로 나는 그럭저럭 나쁘지 않게 지냈어. 원하는 인서울 대학도 가고 너가 그렇게 좋아하던 내 음식도 인정받은 때가 왔거든. 대학교에서 공부도 하면서 틈틈이 자격증도 따고 알바도 했어. 과외가 꽤 수입이 높더라ㅎㅎ 어제 다른 친구들도 만났는데 다들 잘 지내고 있는 것 같더라. (선우랑 지원이랑 사귄다는 건 진짜 너무 충격이었어...) 사실 나만 아직까지 너에게 갇혀 있나 불안함이 조금 들었어. 이젠 조금씩 너를 보내줘야 할까? 난 아직 준비가 안됐는데... 너를 잊으려고 하기 보다는 너의 부재를 인정하는 것

이 더 빠를 것 같다는 생각이 들더라. 너 때문에 하늘 보는 습관 생긴 것도 알아? 그냥... 가장 밝은 별을 바라보고 있으면 너가 하늘에서 내려와 폭 안아줄 것만 같았거든. 근데 이젠 그것도 조금씩 고쳐 나갈 생각이야. 고2때도, 5년이 지난 지금도 너를 사랑하는 건 맞아. 근데 나도 이제 내 삶을 조금씩 찾아가보려고 해. 그동안 많이 고마웠어. 이 편지를 끝으로 너를 이제 보내줄 생각이야. 미안하고, 사랑해. 그럼 안녕.

-설아가.

마지막 인사를 하고 편지를 불에 태워 하늘로 날려보냈다. 나의 선택을 승유는 믿어줄 것이라고 나는 확신할 수 있다. 잠시 잊어두었던 내 별 새기는 일도 장소를 옮겨서 이제 슬슬 다시 시작해보려고 한다. 이렇게 되면 앞으로 해야 할 일이 더 많아지겠지만, 그래도 내 삶을 조금씩 찾아가다 보면 이런 것도 자연스러워지는 순간이 오지 않을까 하는 생각이다.

언제나 나에게 힘을 주고 나를 응원해주는 사람과 함께,

잊힐 뻔했지만 좋은 추억으로 남은 사람과 함께,

앞으로의 나와 함께

이 시작의 첫 걸음을 새가 힘껏 날아오르듯 힘차게 내딛으며 나의 새로운 인생의 막을 열어보도록 할 것이다.

밤하늘에 별을 새기며.

작가의 말

어느 날 나는 여러 친구들의 추천으로 한 로맨스 일본 소설을 읽게 되었다. 나도 모르게 몰입되고 빨려 들어가는 이 기분이 너무 좋아서 학교 도서관에 있는 웬만한 일본소설, 특히 로맨스 부분은 거의 다 읽었을 정도로 나는 소설에 빠져 살았다. 일본 소설뿐만 아니라 우리나라 청소년 소설도 읽게 되고 나도 저렇게 글을 써서 다른 사람에게 즐거움을 주는 사람이 되고 싶다는 생각을 했다.

나의 첫 소설을 쓰면서 정말 많은 고민을 했고 실제로 머리를 쥐어 뜯은 적도 많았다. 막연하게 머리속으로 생각하고 있던 이야기를 인물 설정을 하고 사건을 정리하고 그 내용들을 글로 섬세하게 묘사하는 것은 생각보다 쉽지 않았다. 내가 가장 좋아하는 장르가 로맨스라 로맨스로 정하긴 했는데 괜히 정했나 라는 의심이 들정도로 힘들었던 적도 몇 번 있었다.

사실 나는 연애를 한 번도 해보지 않았다. 그저 소설에서 읽은 것, 실제로 내 주위의 친구들을 관찰한 것을 바탕으로 주인공들의 이야기를 써 내려간 것이다. 친구가 만들어준 제목을 바탕으로 윤설아의 능력을 만들고 그녀의 연인으로 백승유를 만들어 이 소설을 이렇게 끝마치게 되었다.

이 소설은 8개의 챕터로 나누어져 있는데 나는 특히 4장, 사랑 그리고 우정이라는 챕터가 나에게 가장 의미있는 이야기가 아닐까 싶다. 친구라는 것, 사랑이라는 것이라는 추상적인 것을 정의 내려가는 이 과정에서 생각을 더 깊게 할 수 있는 능력이 만들어졌고 지금 이 글을 쓰는 내가 정신적으로 더 성숙해지는 계기가 되었다는 생각도 들었다. 나는 이 소설을 통해 단순 연인으로 만나서 헤어지고 남녀로만 만나는 사랑 보다는 친구 같은 사랑을 나타내고 싶었다. 서로에게 희망이 되어주고 살아갈 힘을 주고 의지할 수 있게 어깨를 내어주는 이런 관계가 진정한 연인이지 아닐까 라는 생각을 한 번쯤 해본다.

마지막 5년 후의 윤설아는 순수하고 발랄했던 과거와는 달리 많이 성숙해져 있는 모습을 보여준다. 자신의 생각에 대해 깊이 있게 고민하고 자신의 삶을 설정해 나가는 모습을 보며 나도 저런 어른이 되고 싶다는 생각을 자주 했다.

비록 이 글이 다른 작가님들의 작품보다는 많이 뒤떨어지고 어쩌면 정말 유치한 내용일 수 있겠지만 그저 나의 첫 걸음을 응원해주는 마음으로 읽어주었으면 하는 마음이다. 나는 그저 포기하지 않고 달려온 이 시간이 자랑스럽다.

이 책이 나오기 전까지 응원 많이 해준 친구들에게, 애착이 많이 가는 윤설아와 백승유에게도 고맙다는 인사를 하고 싶다. 그리고 여기까지 읽어 주신 모든 분들께도 정말 감사하다는 말을 드리고 싶다.

감사합니다. 고맙습니다. 그리고 사랑합니다

청춘을 닮은 여름을 맞이하며,
온채원